C. Seiler

ID0967652

Grundwortschatz Deutsch
Essential German
Allemand fondamental

bearbeitet von
compiled by   Heinz Oehler
rédigé par

Inhalt
Contents / Table des Matières

2nd Printing. 2 ^{14} ^{13} ^{12} ^{11} | 1985 84 83 82

The last number indicates the year in which this book was printed.
© Ernst Klett Verlag, Stuttgart 1966.
Printed by Ernst Klett, Stuttgart. Printed in Germany.
ISBN 3-12-519600-0

K

Vorwort
Preface / Préface

Dieser Grundwortschatz Deutsch ist das Ergebnis von mehr als einem halben Jahrhundert sprachstatistischer Erhebungen in Deutschland, den USA, England und Frankreich.

Auf Grund der Sprachfrequenzforschung wissen wir: mit den ersten 1000 Wörtern unserer Sprache können wir mehr als 80% des Wortschatzes aller Normaltexte erfassen; mit den zweiten 1000 weitere 8 bis 10%, mit den dritten nochmals etwa 4%, mit den vierten noch 2% und mit den fünften ebenfalls 2%. Die ersten 4000 Wörter machen somit durchschnittlich 95% des Wortschatzes aller Normaltexte und Alltagsgespräche aus, die zweiten 4000 Wörter etwa 2 bis 3%, alle übrigen nicht mehr als 1 bis 2%.

Dieses Werk bietet mehr als 2000 Grundwörter und 3000 idiomatische Wendungen des Deutschen mit ihren englischen und französischen Entsprechungen. Für jeden, der vom Englischen oder Französischen her den aktiven Wortschatz der deutschen Umgangssprache erarbeiten oder wiederholend festigen will, ist es eine unentbehrliche Hilfe. Wer diesen Grundwortschatz beherrscht, kann Deutsch verstehen und sich auf deutsch hinreichend verständlich machen.

━━━

This essential vocabulary in German is the result of more than 50 years' statistical linguistic survey in Germany, the United States, England and France.

From research into the frequency of word-usage we know the following facts: more than 80% of the vocabulary of all normal texts is included in the basic 1000 words of a language; a further 8 to 10% in the second 1000, approximately 4% in the third 1000, a further 2% in the fourth and likewise another 2% in the fifth. Thus, the first 4000 words comprise on an average 95% of the vocabulary of all normal texts and dialogues, the second 4000 about 2 to 3%, and all other words not more than 1 to 2%.

This basic vocabulary offers more than 2000 basic words and 3000 idioms in German with their English and French equivalents. For those who from English or French want to learn the vocabulary of everyday German or to consolidate their word-power, it will be indispensable. Once this knowledge has been acquired, one can understand German and make oneself adequately understood in German.

Cet «allemand fondamental» a été établi grâce à plus de 50 ans de recherches effectuées en Allemagne, Angleterre, France et aux Etats-Unis sur le plan de la fréquence des mots. Ces recherches opérées par des spécialistes ont donné les résultats suivants: les premiers 1000 mots d'une langue permettent de comprendre plus de 80% de tout texte normal, les seconds 1000 mots de 8 à 10%, les troisièmes 1000 mots environ 4%, les quatrièmes 1000 mots encore 2%, les cinquièmes 1000 mots également 2%. Donc les premiers 4000 mots forment en moyenne 95% de tout texte normal et de tout dialogue, les seconds 4000 mots de 2 à 3%, tous les autres pas plus de 1 à 2%.

Ce vocabulaire allemand de base offre plus de 2000 mots de base et 3000 expressions idiomatiques de la langue allemande avec leurs équivalents en anglais et en français. Il constitue une aide indispensable pour celui qui — à partir de l'anglais ou du français — veut acquérir ou consolider le vocabulaire actif de la langue courante. Qui possède à fond ce vocabulaire de base pourra comprendre l'allemand et se faire suffisamment comprendre en cette langue.

Abkürzungen
Abbreviations / Abréviations

adj	Adjektiv	*adjective*	*adjectif*
adv	Adverb	*adverb*	*adverbe*
akk	Akkusativ	*accusative*	*accusatif*
am	amerikanisch	*American*	*américain*
art	Artikel	*article*	*article*
card	Kardinalzahl	*cardinal number*	*adjectif numéral cardinal*
cond	Konditional	*conditional*	*conditionnel*
conj	Konjunktion	*conjunction*	*conjonction*
dat	Dativ	*dative*	*datif*
dem prn	Demonstrativ-pronomen	*demonstrative pronoun*	*pronom démonstratif*
det prn	Determinativ-pronomen	*determinative pronoun*	*pronom déterminatif*
etw	etwas	*something*	*quelque chose*
f	Femininum	*feminine*	*féminin*
fut	Futur	*future*	*futur*
gen	Genitiv	*genitive*	*génitif*
ger	Gerundium	*gerund*	*gérondif*
HV	Hilfsverb	*auxiliary verb*	*verbe auxiliaire*
imp	Imperatif	*imperative*	*impératif*
ind prn	Indefinitpronomen	*indefinite pronoun*	*pronom indéfini*
jdm	jemandem	*to someone*	*à quelqu'un*
jdn	jemanden	*someone*	*quelqu'un*
m	Maskulinum	*masculine*	*masculin*
mod HV	modales Hilfsverb	*modal auxiliary verb*	*verbe auxiliaire [modal*
n	Neutrum	*neuter*	*neutre*
o's		*one's*	
o.s.		*oneself*	
part perf	Partizip Perfekt	*past participle*	*participe passé*
pass	Passiv	*passive voice*	*voix passive*
perf	Perfekt	*present perfect*	*passé composé*
pers	Person	*person*	*personne*
pers prn	Personal-pronomen	*personal pronoun*	*pronom personnel*
pl	Plural	*plural*	*pluriel*
plusqu	Plusquamperfekt	*past perfect*	*plus-que-parfait*
poss prn	Possessiv-pronomen	*possessive pronoun*	*pronom possessif*
präs	Präsens	*present tense*	*présent*
prät	Präteritum	*past tense*	*passé*

prn	Pronomen	*pronoun*	*pronom*
prn adv	Pronominal-adverb	*adverbial pronoun*	*pronom adverbial*
prp	Präposition	*preposition*	*préposition*
qc	etwas	*something*	*quelque chose*
qn	jemand	*someone*	*quelqu'un*
refl prn	Reflexiv-pronomen	*reflexive pronoun*	*pronom réfléchi*
rel prn	Relativpronomen	*relative pronoun*	*pronom relatif*
s	Substantiv	*noun*	*substantif*
s.	siehe	*confer*	*voir*
sg	Singular	*singular*	*singulier*
s.o.	jemand	*someone*	*quelqu'un*
s.o.'s	jemandes	*someone's*	*de quelqu'un*
s.th.	etwas	*something*	*quelque chose*
v	Verb	*verb*	*verbe*
v.	von	*of*	*de*

Strukturwörter
Structural words / Mots de structure

Strukturwörter sind die häufigsten Wörter einer Sprache; aus ihnen besteht rund die Hälfte jedes Normaltextes. Sie begleiten und vertreten das Substantiv (Artikel, Pronomen, Zahlwort), bezeichnen Verhältnisse (Präposition) und Umstände (Adverb), verbinden Satzteile und Sätze (Konjunktion) und bestimmen so den inneren Bau des Satzganzen, seine Struktur. (Die Adverbien sind aus praktischen Erwägungen dem eigentlichen Grundwortschatz eingeordnet worden.)

—

Structural words are the most frequent words in a language; approximately half an average text is made up of them. They qualify and replace the noun (article, pronoun, numeral), indicate word-relationship (preposition) and circumstances (adverb), join parts of speech and sentences (conjunction) and determine the inner structure of the whole sentence. (For practical reasons adverbs have been included in the basic vocabulary itself.)

—

Les mots de structure sont les mots les plus fréquents d'une langue; ils composent en gros la moitié de chaque texte normal. Ils accompagnent et représentent le substantif (article, pronom, nom de nombre), caractérisent des rapports (préposition) et des circonstances (adverbe), relient entre eux des membres de phrase et des phrases entières (conjonction), et déterminent par là la construction interne de la phrase, sa structure. (Les adverbes ont été classés selon le vocabulaire de base proprement dit pour des raisons d'ordre pratique.)

aber conj	but, however	mais
als conj	when; than; as	quand, lorsque, au moment où; que; [comme
am = an dem		
an prp + dat, akk	at; on; upon; by; against; to; in	à; près de; dans, en; contre; sur; par
auf prp + dat, akk	(up)on; in; at; of; by; to; for	sur; à; dans; de, en, par, vers; pour, pendant
aus prp + dat	out (of); from; of; by; through; (up)on; in; off	de; hors de; dans; par; en, à

außer prp + dat	out of, outside; beyond, beside(s), apart from, save, except for	hors de; outre; excepté
außer daß/wenn conj	except/save/but that; if not; unless	excepté que, à moins que (ne)
außerhalb prp + gen	out of; outside, beyond	hors de, en dehors de
bei prp + dat	near, by; of; at; in; with; on; next to	à; près de, auprès de; avec; chez; dans, en; de; sur; sous; par; lors de, [pendant
beim = bei dem		
bevor conj	before	avant que/de
bezüglich prp + gen / mit Bezug auf, in bezug auf	concerning, as to, regarding, with regard to	concernant, quant à
bis (nach/zu) prp; conj	till, until; to, up to; till, until	jusque, jusqu'à, à; jusqu'à ce que
da conj	as, because	comme, puisque, parce que
da ja/doch	(but) since (indeed)	puisque
da'mit conj	(in order) that, in order to	afin que/de, pour que, pour
das art	the	le, la
das = dies(es) dem prn	that, this; it	ce(t), cette; cela, ça; ce
das = welches rel prn	which; that	qui; que
das, was det prn	that which	celui/celle qui/que
daß conj	that	que
dein,e poss prn	your	ton, ta, tes
deine(r,s)	yours	le tien, la tienne, les tiens/tiennes
denn conj	for	car
der art	the	le, (la)
der = dieser dem prn	this, that; he, it	ce(t), cette; celui-ci/là, celle-ci/là
der = welcher rel prn	who, which; that	qui
dich pers prn akk (v. du)	you	toi; te
die art	the	la, (le); les
die = diese dem prn	this, that; these, those; she, her; they, them	cette, (ce/t); celle-ci, (celui-ci); ces; celles-ci, (ceux-ci)

die = welche rel prn	who, which, that; whom, which, that	qui; que
die(jenige), welche det prn	she who/whom	celle (celui) qui/que
diejenigen, welche det prn	they/those who/ whom	ceux/celles qui/que
dies,e dem prn	this, that; these, those	ce(t), cette; celui/ celle-ci; ceux/ celles-ci
dir pers prn dat (v.du)	(to) you	(à) toi; te
du pers prn	you	toi; tu
durch prp + akk	by; through, across; during; by means of	par; à travers; pendant; au moyen de
ehe conj	before	avant que/de
ein,e art	a(n)	un/une
eine(r,s) card	one	un/une
entgegen prp + dat	contrary to	contrairement à
entlang (an) prp + dat	along	le long de
entsprechend prp + gen	corresponding to	selon
entweder ... oder conj	either ... or	ou (bien) ... ou (bien), soit ... soit
er pers prn	he, it	lui; il
es pers prn	it; (so)	lui/elle, il/elle, le/la; ce(la); (on; en/y)
es sei denn, daß	unless	à moins que
euch pers prn dat, akk (v. ihr)	you, (to you)	vous, (à vous)
euer, eure poss prn	your	votre, vos [vôtres
eure(r,s)	yours	le/la vôtre; les
falls conj	if; in case	si; au cas où
für prp + akk	for; in exchange for; instead of; on behalf of; in favour of; for the sake of	pour; en échange de; au lieu de; à l'égard de; en faveur de; à l'intention de
gegen prp + akk	against; toward(s); about, by; compared with	contre; envers, vers; environ, à peu près; en comparaison de
gemäß prp + dat	according to	conforme à, selon
haben HV(perf,plusqu)	to have	avoir
hinter prp + dat, akk	behind; after	derrière; après

ich pers prn	I	moi; je
ihm pers prn dat (v. er)	(to) him/it	(à) lui
ihn pers prn akk (v. er)	him, it	lui; le
ihr pers prn pl	you	vous
ihr pers prn sg dat (v. sie)	(to) her	à elle; lui
ihr,e poss prn sg, pl	her; their	son, sa, ses; leur(s)
ihre(r,s)	hers; theirs	le sien, la sienne, les siens/siennes; le/la leur, les leurs
Ihr,e poss prn (s. Sie)	your	votre; vos
im = in dem		
in prp + dat, akk	in, at, on, within, into, during	dans, en, à
indem conj	as, while, whilst; by	pendant/tandis que
infolge prp + gen	as a result of, in consequence of, owing to	par suite de, à la suite de, en conséquence de
innerhalb prp + gen	within	au dedans de, en, dans l'espace de
ins = in das		
längs prp + gen	along	le long de
mein,e poss prn	my	mon, ma, mes
meine(r,s)	mine	le mien, la mienne, les miens/miennes
mich pers prn akk (v. ich)	me	moi; me
mir pers prn dat (v. ich)	(to) me	(à) moi; me
mit prp + dat	with; by (means of)	avec; par, de, à
nach prp + dat	to(wards), for; after, past, at the end of, in; according to	à, en; vers; après; d'après, selon
nachdem conj	after, when	après que
neben prp + dat, akk	by the side of, beside, by, close by, near to, next to; besides	à côté de, (au)près de; avec, outre
nicht nur . . . , sondern auch conj	not only . . . but also	non seulement . . . mais (aussi/encore)
ob conj	if, whether	si
obwohl, obgleich conj	(al)though	quoique, bien que
oder conj	or	ou (bien)
ohne prp + akk	without	sans

ohne daß conj	without (+ *ger*)	sans que
quer durch/über prp + akk	across	à travers, au travers de
sei es . . ., sei es conj	whether . . . or	soit que . . ., soit que
sein HV (perf, plusqu)	to have	avoir, être
sein,e poss prn	his, its	son, sa, ses
seine(r,s)	his, its	le sien, la sienne; les siens/siennes
seit prp + dat; conj	since	depuis, dès; depuis
seitens prp + gen	on the part of, by	de la part de [que
sich refl prn	oneself; himself, herself, itself; themselves; him, her, it, them; each other, one another	soi; se; lui, elle, eux, elles
sie pers prn sg, pl	she, her; they, them	elle, la; eux, elles ils,
Sie pers prn sg, pl	you	vous [elles, les
sobald (wie/als) conj	as soon as	dès que, aussitôt que
so daß conj	so that, so as to	de/en sorte que, de manière/façon que, tellement que
soll mod HV präs	shall, am/is to	dois, doit
sollte mod HV prät; cond	should, was to; ought to	devais, devait; devrais, devrait
sondern conj	but	mais
sonst conj	otherwise, else	sinon
so'weit	as much as, as far as	en tant que, autant que
sowohl . . . als auch conj	both . . . and, as well as; not only . . . but (also)	non seulement . . ., mais (aussi/encore)
statt, anstatt prp + gen	instead of	au lieu de
statt daß conj	instead of	au lieu que
trotz prp + gen, dat	in spite of, despite, notwithstanding	malgré
trotzdem conj	although, notwithstanding that	bien que, quoique
über prp + dat, akk	over; above; across; by way of (via); beyond, past; at, of, on	sur; au-dessus de; de l'autre côté de; par (via); plus de/que
um prp + akk	at; near, towards; by; for	à; vers; sur; de, pour, à cause de

um ... herum	(round) about	autour de; aux environs de
um so (besser)	so much the (better)	d'autant (mieux)
um zu	in order to	pour/afin de
und conj [(v. wir)]	and	et
uns pers prn dat, akk	(to) us	(à) nous
unser,e poss prn	our	notre; nos
unsere(r,s)	ours	le/la nôtre; les nôtres
unter prp + dat, akk	under; below, beneath; in; between; among, amid(st)	sous; au-dessous de; entre; parmi, au milieu de
vom = von dem		
von prp + dat	of; from; by	de; depuis, dès, à partir de; par
vor prp + dat, akk	before, in front of; before; of, with; because of; from	devant; avant; de; à cause de
während prp + gen; conj	during; while, whilst; as	durant, pendant; pendant que, tandis que; comme
was rel prn	what, that, which	ce qui/que
weder ... noch conj	neither ... nor	(ne) ni ... ni
wegen prp + gen	because of, for; by reason of, owing to, concerning	à cause de, pour; en raison de
weil conj	because, as; since	parce que, comme; puisque
welche(r,s) rel prn	who, which; that	qui; lequel, laquelle; lesquels, lesquelles
welche(s) ind prn	some, any	en
wenn conj	when; if, in case	quand, lorsque; si
wenn nicht	if not; unless	sinon
wer rel prn	who, he who	celui/celle qui
werden HV (fut, pass, cond)	(shall, will); to be going to; to be	(aller); être
wider prp + akk	against, contrary to	contre
wie conj	as	comme, que
wir pers prn	we	nous
wird (s. werden)		
worauf prn adv	on which, after which, whereupon	sur/à/après quoi
woraus prn adv	from which, out of which, whence	(ce) dont; d'où

worin prn adv	in which, wherein	en/dans quoi; où
worüber prn adv	over/upon which, about which	sur quoi; (ce) dont
würde (s. werden)		
zu prp + dat; conj	to, at, in, on; for; towards, up to; along with; beside	à, chez, vers, en, de; par, pour, avec
zum = zu dem		
zur = zu der		
zwischen prp+dat, akk	between	entre

Grundzahlen
Cardinal numbers / Nombres cardinaux

eins	one	un, une
zwei	two	deux
drei	three	trois
vier	four	quatre
fünf	five	cinq
sechs	six	six
'sieben	seven	sept
acht	eight	huit
neun	nine	neuf
zehn	ten	dix
elf	eleven	onze
zwölf	twelve	douze
'dreizehn	thirteen	treize
'vierzehn	fourteen	quatorze
'fünfzehn	fifteen	quinze
'sechzehn	sixteen	seize
'siebzehn	seventeen	dix-sept
'achtzehn	eighteen	dix-huit
'neunzehn	nineteen	dix-neuf
'zwanzig	twenty	vingt
'dreißig	thirty	trente
'vierzig	forty	quarante
'fünfzig	fifty	cinquante
'sechzig	sixty	soixante
'siebzig	seventy	soixante-dix
'achtzig	eighty	quatre-vingt(s)
'neunzig	ninety	quatre-vingt-dix
'hundert	a hundred	cent

Ordnungszahlen
Ordinal numbers / Nombres ordinaux

der/die/das 'erste	the first	le premier, la première
der/die/das 'zweite	the second	le second, la seconde; le/la deuxième
der/die/das 'dritte	the third	le/la troisième
'vierte	fourth	quatrième
'fünfte	fifth	cinquième
'sechste	sixth	sixième
'siebte, siebente	seventh	septième
'achte	eighth	huitième
'neunte	ninth	neuvième
'zehnte	tenth	dixième
'erstens	first(ly)	premièrement
'zweitens	second(ly)	deuxièmement
'drittens	third(ly)	troisièmement
'viertens	fourth(ly)	quatrièmement
'fünftens	fifth(ly)	cinquièmement
'sechstens	sixth(ly)	sixièmement
'siebtens, siebentens	seventh(ly)	septièmement
'achtens	eighth(ly)	huitièmement
'neuntens	ninth(ly)	neuvièmement
'zehntens	tenth(ly)	dixièmement

15

Hinweise und Zeichen
Explanations and signs / Annotations et signes

1. Die Betonung zwei- und mehrsilbiger Grundwörter wird durch Akzent (') bezeichnet; betont wird die dem Akzent folgende Silbe ('Deutschland).
2. Dem Substantiv mit besonderer Endung im Genitiv Singular folgt diese Endung (der Deutsche *n*: des Deutsche*n*; das Land *es*: des Land*es*).
3. Nach dem Schrägstrich (/) wird die Endung des Substantivs im Nominativ Plural angegeben (der Deutsche n/*n*: die Deutsche*n*). Bindestrich nach dem Schrägstrich gibt an, daß der Nominativ Plural die gleiche Form hat wie der Singular (der Lehrer s/-: der Lehrer, des Lehrers/die Lehrer). Steht nach dem Substantiv im Singular weder Schrägstrich noch Bindestrich, hat das Substantiv keine Pluralform (der Mut (e)s; die Liebe; das Blut (e)s).
4. Bei umlautenden Pluralformen steht nach dem Schrägstrich erst der Umlaut des Stammvokals und nach ihm die Pluralendung (das Land es/*ä-er*: die Länd*er*).
5. Von umlautenden Adjektiven werden die Steigerungsformen aufgeführt (hoch/höher/am höchsten).
6. Starken Verben folgt die Ablautreihe (fallen *ie-a*/ä), also der Stammvokal im Präteritum (*ie* für f*ie*l), im Perfektpartizip (*a* für gef*a*llen) und bei Umlaut, durch Schrägstrich getrennt, auch dieser (/*ä* für f*ä*llst, f*ä*llt). Verben, die nicht nur den Stammvokal verändern, sind auf Seite 192 zusammengestellt.
7. Trennbarkeit der Partikel in unfesten Verbzusammensetzungen wird durch (|) bezeichnet (*an*|fangen: ich fange *an*).
8. Auf das Gegenwort (Antonym) zu Substantiv, Adjektiv und Verb weist der Pfeil (→) hin: (Leid → Freude, tief → hoch, fallen → steigen).

—

1. The stress in words of two or more syllables is shown by an accent ('); the syllable following the accent is stressed ('Deutschland).
2. If the genitive singular of a noun has a special ending, this follows the noun (der Deutsche *n*: des Deutsche*n*; das Land *es*: des Land*es*).
3. After a diagonal stroke (/) the nominative plural ending of a noun is given (der Deutsche n/*n*: die Deutsche*n*). Hyphen after the diagonal stroke indicates that the noun has no nominative plural ending (der Lehrer s/-: der Lehrer, des Lehrers/die Lehrer). Nouns without diagonal stroke or hyphen after them exist only in the singular (der Mut (e)s; die Liebe; das Blut (e)s).

16

4. Where there is vowel modification (Umlaut) in the plural, the modified vowel appears followed by the plural ending (das Land es/ä-er: die Länder).
5. Where vowels are modified in the comparative and superlative forms, the three forms are given (hoch/höher/am höchsten).
6. Vowel modification in strong (irregular) verbs follows the verb in question (fallen ie-a/ä); thus we have the root vowel for the Preterite (ie for fiel) and the Perfect Participle (a for gefallen) and the modified vowel after the diagonal stroke (/ä for fällst, fällt). Verbs with more than modification of the root vowel only are listed on page 192.
7. If a particle is separable from the verb, it is shown by a vertical dash (|) (an|fangen: ich fange an).
8. Antonyms of nouns, adjectives and verbs are shown by (→): (Leid → Freude, tief → hoch, fallen → steigen).

1. L'accentuation des mots de base à 2 et plusieurs syllabes est marquée par un accent ('); est accentuée la voyelle qui suit l'accent ('Deutschland).
2. Le substantif qui prend une terminaison particulière au génitif singulier est suivi de cette terminaison (der Deutsche n: des Deutschen; das Land es: des Landes).
3. Après le trait oblique (/) est indiquée la terminaison du substantif au nominatif pluriel (der Deutsche n/n: die Deutschen). Le trait d'union après le trait oblique indique que le substantif n'a pas de terminaison au nominatif pluriel (der Lehrer s/-: der Lehrer, des Lehrers/die Lehrer). Les substantifs n'existant qu'au singulier ne sont suivis ni de trait oblique ni de trait d'union (der Mut (e)s; die Liebe; das Blut (e)s).
4. Quand le pluriel se forme avec inflexion, est placée après le trait oblique d'abord la forme infléchie de la voyelle radicale puis la terminaison du pluriel (das Land es/ä-er: die Länder).
5. Dans le cas des adjectifs infléchis, sont indiquées les formes de comparaison (hoch/höher/am höchsten).
6. Les verbes forts sont suivis de leur série apophonique (fallen ie-a/ä), d'abord la voyelle radicale du prétérit (ie pour fiel), puis du participe passé (a pour gefallen) et en cas d'inflexion, séparée par un trait oblique, aussi la forme infléchie (/ä pour fällst, fällt). Pour les verbes qui ne changent pas seulement la voyelle radicale, voir la liste page 192.
7. La possibilité de séparation de la particule dans les composés verbaux séparables est indiquée par (|) (an|fangen: ich fange an).
8. Le contraire d'un substantif, adjectif et verbe est indiqué par une flèche (→): (Leid → Freude, tief → hoch, fallen → steigen).

Grundwortschatz
Basic vocabulary / Vocabulaire de base

A

ab	off, down; away; from; departure(s)	parti, perdu; à partir de; départ
ab und zu	*now and again*	*de temps en temps*
der 'Abend s/e	evening, night	le soir, la soirée
am Abend	*in the evening*	*le soir*
eines Abends	*one evening*	*un soir*
gegen Abend	*towards evening*	*dans la soirée*
heute abend	*this evening, tonight*	*ce soir*
gestern abend	*last evening/night*	*hier soir*
morgen abend	*tomorrow night*	*demain soir*
das 'Abendessen s/-	dinner, supper	le dîner
zu Abend essen	*to have dinner*	*dîner*
'abends	in the evening	le soir
von morgens bis abends	*from morning to night*	*du matin au soir*
'ab|fahren u-a/ä → ankommen	to leave, to start	partir
die 'Abfahrt /en	departure(s)	le départ
'ab|hängen (von) i-a	to depend (on)	dépendre (de)
abhängig	*dependent*	*dépendant*
es hängt von ihm ab	*it's up to him*	*cela dépend de lui*
'ab|holen → bringen	to come for, to meet	aller/venir chercher; aller prendre
ich hole dich ab	*I'll come to meet you/call for you*	*je viendrai te chercher*
'ab|laden u-a/ä → beladen	to unload	décharger
'ab|machen → offen-lassen	to arrange, to settle	convenir, régler
abgemacht!	*it's a bargain!*	*d'accord!*
eine Abmachung treffen	*to make an agreement*	*faire un accord, s'arranger*
'ab|nehmen a-o/i (den Hut) → aufsetzen; → zunehmen (an Gewicht)	to take off (one's hat); to lose weight	enlever (son chapeau); maigrir; décroître
'ab|reißen i-i	to tear off; pull down	arracher; démolir

der 'Abschied s/e → Wiedersehen	leave-taking, departure	les adieux; le congé
sich verabschieden	to say good-bye	dire au revoir, faire ses adieux
Abschied nehmen	to take leave	prendre congé
'ab|schließen o-o → öffnen	to lock	fermer à clef
die 'Absicht /en	intention, purpose	l'intention f; le but
die Absicht haben (zu)	to intend (to)	avoir l'intention (de)
in der besten Absicht	with the best intention	avec les meilleures intentions
absichtlich	on purpose, intentionally	exprès, avec intention
die Ab'teilung /en	group, class; division; department	le groupe, la classe; division; le rayon; le département
'ab|trocknen	to wipe, to dry	essuyer, (faire) sécher
'abwärts → aufwärts	down	vers le bas, en descendant
ach!	you don't say!	pas possible!
ach so!	oh, I see!	ah! c'est ça!
ach was!	nonsense!, not a bit!	pensez-vous!, allons donc!
'achten (auf)	to respect; to pay attention to	respecter; faire attention à
'acht|geben a-e/i (auf)	to look out for, to take care of	faire attention à, prendre garde à
die 'Achtung	attention; respect	l'attention f; le respect
aus Achtung vor	out of respect for	par respect pour
die A'dresse /n	address	l'adresse f
adressieren (an)	to address (to)	adresser (à)
'ähnlich	similar to, (a)like	semblable à; pareil, le
das sieht ihm ähnlich	that's just like him	je le reconnais bien [là
Ähnlichkeit haben (mit)	to be/look much like	ressembler à [là
das All s	universe, cosmos	l'univers m, le cosmos
'alle → niemand	all; everybody	tous; tout le monde
alle Kinder	all the children	tous les enfants
von allen Seiten	from all sides	de tous côtés [deux
alle beide	both of them	tous/toutes (les)
alle (zwei) Tage	every (other) day	tous les (deux) jours
al'lein → zusammen	alone	seul

ganz allein	all alone $\quad$ [(it)	tout seul
allein der Gedanke	the very thought of	la seule pensée (de)
einzig und allein	simply, solely	uniquement
der/die/das	the very best, the	le meilleur de tous,
aller'beste	best of all	ce qu'il y a de
		mieux
aller'dings	indeed	en effet, il est vrai,
		sans doute; bien
'alles → nichts	everything	tout $\qquad$ [sûr
das ist alles	that's all	voilà tout
alles in allem	all told	somme toute
alles andere	everything else	tout le reste
Alles Gute!	All the best!	Bonne continua-
		tion!
alles mögliche	all sorts of things	toutes sortes de
		choses
allge'mein	general, usual	général
im allgemeinen	in general, usually	en général,
		d'ordinaire
die Allgemeinbildung	general education	la culture générale
'also	so, consequently, well	donc, par conséquent
alt älter/am ältesten	old; ancient; used;	vieux (vieil), vieille;
→ jung, neu	second-hand	ancien,ne; usé;
		d' occasion
wie alt sind Sie?	what's your age?	quel âge avez-vous?
sie ist 25 (Jahre alt)	she is 25 (years old)	elle a 25 ans
wir sind gleich alt	we are the same	nous sommes du
	age	même âge
50 Jahre alt	50 years old	âgé de 50 ans
alte Bücher	second-hand books	livres d'occasion
mein alter Lehrer	my former teacher	mon ancien maître
mein älterer	my elder	mon frère aîné
Bruder	brother	
das alte Lied	the old story	la même chanson
er ist immer noch der	he is still the same	il est toujours le
alte		même
alt werden	to grow old	vieillir
das 'Alte n→ Neue	the old	l'ancien m $\quad$ [changé
alles bleibt beim alten	nothing has changed	il n'y a rien de
der 'Alte n/n	old man; boss	le vieux; le patron
das 'Alter s/-	age; old age	l'âge m; la vieillesse
im Alter von	at the age of	à l'âge de
er ist in meinem	he is my age	il est de mon âge
Alter		

das Mittelalter	*Middle Ages*	*le Moyen Age*
die Altersrente	*old-age pension*	*la retraite-vieillesse*
A'merika s	America	l'Amérique *f*
der Ameri'kaner s/-	American	l'Américain *m*
amerikanisch	*American*	*américain*
das Amt es/ä-er	office; charge	le bureau; la charge, la fonction
'an|bieten o-o	to offer	offrir
der 'Anblick s	sight, view, spectacle	l'aspect *m*, la vue, le spectacle
beim Anblick	*at the sight of*	*à la vue de*
beim ersten Anblick	*at first sight*	*à première vue*
anblicken	*to look at*	*regarder*
der 'andere	the other	l'autre
→ derselbe		
ein anderer	*another*	*un autre*
die anderen	*the others*	*les autres*
andere	*others*	*(d')autres*
etwas anderes	*something else*	*autre chose*
nichts anderes	*nothing else*	*rien d'autre*
alles andere	*everything else*	*tout le reste*
unter anderem	*among other things*	*entre autres choses*
einer nach dem andern	*one after another, one at a time*	*chacun à son tour*
einerseits . . .	*on the one hand . . .*	*d'un côté . . .*
andrerseits	*on the other hand*	*d'un autre côté, d'une part . . . d'autre part*
'ändern; sich ändern	to change	changer
daran läßt sich nichts ändern	*that cannot be helped*	*on n'y saurait rien changer*
seine Meinung ändern	*to change o's mind*	*changer d'avis*
die Änderung	*change* [(ly)]	*le changement*
anders	otherwise, different	autrement
jemand anders	*somebody else*	*quelqu'un d'autre*
niemand anders (als)	*nobody (else) but*	*nul autre (que)*
ich kann nicht anders	*I can't do other (than)*	*je ne puis faire autrement*
'anderswo(hin)	elsewhere	ailleurs, autre part
'an|erkennen a-a	to recognize	reconnaître
der 'Anfang s/ä-e	beginning, start	le commencement, le début
→ Ende		

am Anfang	*in/at the beginning*	*au commencement (de)*
von Anfang an	*from the beginning*	*dès le début*
von Anfang bis Ende	*from start to finish*	*du/depuis le commencement à/jusqu'à la fin*
Anfang Oktober	*early in October*	*au début d'octobre*
'an|fangen i-a/ä beginnen (mit, zu) → aufhören	to begin, to start	commencer, débuter (par, à)
'anfangs → zuletzt, schließlich	in the beginning, at first	au commencement (de)
das 'Angebot s/e → Nachfrage	offer	l'offre f
ein Angebot machen	*to make an offer*	*faire une offre*
Angebot und Nachfrage	*supply and demand*	*l'offre et la demande*
der 'Angeklagte n/n	defendant	l'accusé m
die 'Angelegen- heit /en	matter, business, affair	l'affaire f
kümmre dich um deine Angelegenheiten	*mind your own business*	*mêle-toi de tes affaires*
'angenehm → unangenehm	pleasant	agréable
'an|greifen i-i → verteidigen	to attack; to take hold of	attaquer, saisir
der 'Angriff s/e → Verteidigung	attack	l'attaque f
in Angriff nehmen	*to start on, to set about*	*attaquer, se mettre à*
die Angst /ä-e → Mut	anxiety, fear	l'angoisse f, la peur
Angst haben (vor)	*to be afraid (of)*	*avoir peur (de)*
mir ist angst	*I'm afraid*	*j'ai peur*
'ängstlich → mutig	anxious, fearful	anxieux,se; inquiet
'an|halten ie-a/ä → weitergehen	to arrest/stop	arrêter, stopper; s'arrêter
per Anhalter fahren	*to hitch-hike*	*faire de l'autostop*
'an|kommen a-o → weggehen, ab- fahren	to arrive, to reach	arriver
pünktlich ankommen	*to arrive on time*	*arriver à l'heure*
mit 1 Stunde Ver- spätung ankommen	*to be one hour late*	*être en retard d'une heure*
das kommt darauf an!	*that depends*	*cela dépend*

er läßt es darauf ankommen	he'll take the chance	il s'en remet à la chance
die Ankunft	arrival	l'arrivée f
'an|machen → ausmachen	to put on/switch on (the light)	allumer (la lumière), tourner le bouton
'an|nehmen a-o/i	to accept; to suppose	accepter; supposer
mit Dank annehmen	*to accept with thanks*	*accepter avec reconnaissance*
ich nehme an, er ist krank	*he is ill, I suppose*	*je suppose qu'il est malade*
nehmen wir an, angenommen	*suppose*	*admettons* [en ordre
die 'Anordnung /en	order, arrangement	l'ordre m, la mise
der 'Anruf es/e	call	l'appel m
'an|rufen ie-u	to call up/make a call/ring up/give a ring	appeler, donner un coup de téléphone/ de fil
nochmals anrufen	*to call back*	*rappeler (son correspondant)*
'an|sehen a-e/ie	to look at	regarder
die 'Ansicht /en	opinion, view; sight	l'opinion f, l'avis m; la vue
meiner Ansicht nach	*in my opinion*	*à mon avis, à mes yeux*
'anständig → unanständig	decent, honest	honnête
sei anständig!	*behave yourself!*	*tiens-toi bien!*
anständig behandeln	*to give a square deal*	*traiter comme il faut*
die 'Antwort /en → Frage	reply, answer	la réponse
'antworten (auf) → fragen	to reply/answer, to make a reply/give an answer	répondre (à), donner une réponse (à)
'an|wenden a-a	to apply/use	appliquer, employer, user (de)
die 'Anwendung /en	application, use	l'emploi m, l'usage m
Anwendung finden	*to be used/put into practice*	*être employé/ pratiqué*
die 'Anzeige /n	advertisement	l'annonce f
anzeigen	*to advertise*	*annoncer*
'an|ziehen o-o	to put on, to dress; to attract	mettre, habiller; attirer

Sid

den Mantel *anziehen*	*to put on o's coat*	*mettre son manteau*
sich *anziehen*	*to dress*	*s'habiller, faire toilette*
anziehend	*attractive, interesting*	*attrayant, intéressant*
der 'Anzug s/ü-e	suit	le costume/complet
den Anzug *anziehen*	*to put on o's suit*	*mettre le complet*
'an|zünden	to light	allumer
→ *auslöschen*		
Feuer *anzünden*	*to light a fire*	*faire du feu*
das Feuer *anzünden*	*to light the fire*	*allumer le feu*
ein Streichholz *an-zünden*	*to light/strike a match*	*frotter une allumette*
eine Zigarre *anzünden*	*to light a cigar*	*allumer un cigare*
der 'Apfel s/Ä	apple	la pomme
die Apfel'sine /n	orange	l'orange f
die Apo'theke /n	chemist's shop	la pharmacie
der Appa'rat s/e	apparatus	l'appareil m
wer ist am *Apparat?*	*who is speaking?*	*qui est à l'appareil?*
bleiben Sie am *Apparat!*	*hold the line/wire*	*ne quittez pas!*
der Fernseh*apparat*	*television set*	*le poste de télévision, le téléviseur*
der Radio*apparat*	*wireless set*	*le poste (de radio), la radio*
die 'Arbeit /en	work, labour	le travail; l'ouvrage m
an die Arbeit *gehen*, sich an die Arbeit *machen*	*to go/set to work, to settle down to work*	*se mettre au travail/ à l'ouvrage*
Arbeit *suchen*	*to look for a job*	*chercher un emploi*
der Arbeitstag	*working-day*	*la journée de travail*
'arbeiten	to work, to make	travailler, faire
schwer *arbeiten*	*to work hard*	*travailler dur*
der 'Arbeiter s/-	worker, workman	le travailleur, l'ouvrier m,
der Fach*arbeiter*	*skilled worker*	*l'ouvrier qualifié*
der Arbeit*geber*	*employer*	*l'employeur m, le patron*
arbeitslos	*out of work, unemployed*	*en chômage [travail*
arbeitslos sein	*to be out of work*	*chômer, être sans*
der 'Arm s/e	arm	le bras [dessous
Arm in *Arm*	*arm in arm*	*bras dessus, bras*
den Arm *brechen*	*to break o's arm*	*se casser le bras*

jdn mit offenen Armen aufnehmen	to welcome s.o. with open arms	recevoir qn à bras ouverts
die Armbanduhr	wrist-watch	la montre (-bracelet)
arm/ärmer/am ärmsten → reich	poor	pauvre
die Armen pl	the poor pl	les pauvres pl
die Armut	poverty	la pauvreté
die Art /en	manner, fashion, way; sort, kind	la manière/façon; la sorte, l'espèce f
auf diese Art und Weise	in this way	de cette manière
auf seine Art	in his way	à sa façon
auf deutsche Art	in the German way	à l'allemande
der Ar'tikel s/-	article	l'article m
die Arz'nei /en	medicine	le médicament
die Arznei einnehmen	to take the medicine	prendre le médicament
der Arzt es/ä-e	physician, doctor	le médecin, le docteur
die Ärztin	lady doctor	la femme médecin, la doctoresse
den Arzt holen	to call in the doctor	aller chercher le médecin
zum Arzt gehen	to go to the doctor's	aller trouver le médecin
den Arzt rufen (lassen)	to send for the doctor	(faire) appeler le médecin
der Ast es/ä-e	branch	la (grosse) branche
der 'Atem s	breath	le souffle
außer Atem	out of breath	hors d'haleine
Atem holen	to catch o's breath	prendre haleine
holen Sie tief Atem!	take a deep breath	respirez à fond!
atmen	to breathe	respirer
das A'tom s/e	atom	l'atome m
der Atomkrieg	atomic warfare	la guerre atomique
die Atomwaffen pl	atomic weapons pl	les armes atomiques f pl
auch	also, too	aussi
ich auch nicht	neither do / am / have I	moi non plus
auf!	let's go!, come on!; get up!	allons!, en route!; debout!
auf und ab	up and down; back and forth	de haut en bas; de long en large

er ist noch nicht auf	he isn't up yet	*il n'est pas encore*
auf deutsch	in German	*en allemand* [levé
der 'Aufenthalt s/e	stop, stay	l'arrêt *m*, le séjour
'auf|fallen ie-a/ä	to strike [markable	frapper [marquable
auffallend	striking, re-	*frappant*, re-
die 'Aufgabe /n	task, job; lesson, homework	la tâche; la leçon, le devoir
eine Aufgabe lösen	to solve a problem	*résoudre/trancher un problème*
seine Schulaufgaben machen	to do o's lessons	*faire ses devoirs/ apprendre ses leçons*
[gehen		
'auf|gehen → unter-	to rise	se lever
'auf|hängen → abnehmen	to hang up	pendre, accrocher
'auf|heben o-o →hinlegen, weggeben	to pick up; to keep	ramasser; garder
'auf|hören → anfangen	to stop, to break off	cesser, s'arrêter, finir
'auf|machen ✗	to open	ouvrir
'aufmerksam → unaufmerksam	attentive	attentif,ve
aufmerksam machen (auf) [/en	to call attention (to)	*attirer l'attention (sur)*
die 'Aufmerksamkeit → Unaufmerksamkeit	attention, regard	l'attention *f*, le regard
die 'Aufnahme /n	taking a picture; recording; photo	la prise de vue; l'enregistrement *m;* la photo
Aufnahmen machen	to take pictures; to make recordings	*prendre des photos; enregistrer (sur bande)*
'auf|nehmen a-o/i	to receive/welcome; to take pictures; to record	recevoir, accueillir; prendre des photos; enregistrer
'auf|passen	to pay attention; to look out, to mind	faire attention; prendre garde (à)
aufgepaßt!	attention!, look out!	*attention!*
'auf|stehen a-a	to get up / to rise	se lever
aufstehen!	get up!	*debout!*
'auf|stellen	to set up/put up, to range, to instal	mettre en place, (ar)ranger, installer
eine Liste aufstellen	to make out a list	*dresser une liste* [de
der 'Auftrag s/ä-e	order	l'ordre*m*,la comman-
im Auftrag (i. A.)	by order (for . . .)	*par ordre (p. o.)*

'aufwärts → abwärts	up, upwards	vers le haut, en montant
das 'Auge s/n	eye	l'œil *m*
unter vier Augen	*in private*	*en tête-à-tête*
mit bloßem Auge	*with the naked eye*	*à l'œil nu*
im Auge behalten	*to keep in sight*	*garder à vue*
aus den Augen verlieren	*to lose sight of*	*perdre de vue*
große Augen machen	*to open o's eyes wide*	*ouvrir de grands yeux*
gute/schlechte Augen haben	*to have good/bad eyes*	*avoir la vue bonne/ faible* [stant *m*
der 'Augen'blick s/e	moment	le moment, l'in-
einen Augenblick, bitte	*just a moment/ minute, please*	*un moment/instant, s'il vous plaît; une minute, s. v. p.*
im Augenblick	*at this moment, just now*	*en ce moment*
er wird jeden Augenblick hier sein	*he'll be here at any moment*	*il va arriver d'un moment à l'autre*
augenblicklich	*this minute*	*à l'instant, tout de suite*
aus, es ist aus	it's finished	c'est fini
ein . . . aus	*on . . . off*	*marche . . . arrêt*
die 'Ausbildung	education, training	l'éducation *f*, la formation
der 'Ausdruck s/ü-e	expression	l'expression *f*, le terme
ausdrücken	*to express*	*exprimer*
die 'Ausfahrt /en → Einfahrt	exit, way out	la sortie (de voitures)
Ausfahrt frei lassen	*No parking in front of these gates*	*Prière de ne pas stationner. Sortie de voitures*
'aus|führen → einführen	to carry out; to export	exécuter, réaliser; exporter
der 'Ausgang s/ä-e → Eingang	way out, exit	la sortie
Notausgang	*Emergency Exit*	*Sortie de secours*
Kein Ausgang	*No way out*	*Sortie interdite*
'aus|geben a-e/i → einnehmen	to spend	dépenser
'ausgeschlossen!	impossible!	impossible, en aucune façon!

'aus|halten ie-a/ä	to suffer/bear/stand	supporter
ich halte es nicht mehr aus	*I can't stand it any longer*	*je n'en peux plus*
die 'Auskunft /ü-e	information	l'information *f*, le renseignement
das 'Ausland s → Inland	foreign countries	l'étranger *m*
im|ins Ausland	*abroad*	*à l'étranger*
ins Ausland gehen	*to go abroad*	*partir pour l'étranger* m
der Ausländer	*foreigner*	*l'étranger* m
ausländisch	*foreign*	*étranger,ère*
'aus|löschen, 'ausmachen → anzünden	to put out/switch off	éteindre, fermer; tourner le bouton
die 'Ausnahme /n → Regel	exception	l'exception *f*
mit Ausnahme von	*except(ing), with the exception of*	*à l'exception de, excepté*
'aus|rufen ie-u	to call out, to exclaim	s'écrier
'aus|ruhen, sich ausruhen	to rest, to take a rest	se reposer
'aus|schalten → einschalten	to switch/turn off;	éteindre, fermer; couper
'aus|sehen a-e/ie	to look; to appear	avoir l'air de, paraître
gut/schlecht aussehen	*to look well/unwell*	*avoir bonne/ mauvaise mine*
er sieht aus wie ...	*he looks a ...*	*il a l'air d'un ...*
er sieht krank aus	*he looks ill*	*il paraît malade*
es sieht nach Regen aus	*it looks like rain*	*le temps est à la pluie*
'außen → innen	outside	à l'extérieur *m*, (au) dehors
von außen	*from (the) outside*	*du dehors, de l'extérieur* m
die Außenseite	*outside*	*l'extérieur, le dehors*
'außerdem	besides, moreover, what is more	de plus, en outre
'äußere → innere	exterior	extérieur
'außergewöhnlich → gewöhnlich	extraordinary, special	extraordinaire, exceptionnel,le
'äußerst	extreme(ly)	extrême(ment)
im äußersten Fall	*at the worst*	*à la rigueur*

die 'Aussicht /en	view; chance	la vue; la chance
'aus|sprechen a-o/i	to pronounce	prononcer
'aus|steigen ie-ie	to get off/out	descendre
→ einsteigen		
steigen Sie aus?	*are you getting off?*	*vous descendez?*
die 'Ausstellung /en	show, fair	la foire exposition, l'exposition
das Ausstellungs-gelände	*exhibition grounds*	*le parc de l'expo-sition*
ausgestellt sein	*to be on display*	*être exposé*
der 'Ausweis es/e	pass, identity card	la carte d'identité
die Ausweispapiere	*identity papers*	*les papiers d'identité*
'auswendig	by heart	par cœur
auswendig lernen	*to learn by heart*	*apprendre par cœur*
'aus|wischen	to wipe out	effacer
'aus|ziehen o-o	to take off	déshabiller, ôter
→ anziehen		
sich ausziehen	*to undress*	*se déshabiller*
das 'Auto s/s	(motor-)car; auto *am*	l'auto *f*, la voiture
mit dem Auto fahren	*to go by car*	*aller en voiture*
Auto fahren	*to drive (a car)*	*conduire, faire de la voiture*
die Autobahn	*motorway*	*l'autoroute f*
der Autofahrer	*motorist*	*l'automobiliste m*

B

'backen uk-a/ä	to bake	cuire, faire le pain
der Bäcker	*baker*	*le boulanger*
das Bad es/ä-er	bath, bathe; bath-room, swimming pool	le bain; la salle de bains, la piscine
ein Bad nehmen	*to take a bath*	*prendre un bain*
'baden	to bath/bathe; to take a bath, to have a bathe	baigner, donner un bain; se baigner, prendre un bain
die Bahn /en	railway	le chemin de fer
mit der Bahn fahren	*to go by train*	*voyager en chemin [de fer*
der Bahnhof	*station*	*la gare*
der Bahnsteig	*platform*	*le quai*
bald	soon; early	bientôt; tôt
auf bald!	*so long!*	*à bientôt!*
so bald wie möglich	*as soon as possible*	*le plus tôt possible*

der **Ball** es/ä-e	ball	la balle, le ballon; le bal [au ballon
Ball spielen	*to play ball*	*jouer à la balle/*
die **Ba'nane** /n	banana	la banane
das **Band** es/ä-er	ribbon, band	le ruban, la bande
der **Band** es/ä-e	volume	le volume, le tome
die **Bank** /ä-e; /en	bench; bank [at odd jobs)	le banc, la ban- quette; la banque
'**basteln**	to potter (about	bricoler
der **Bau** es/ten	building	la construction; le bâtiment
bauen	*to build*	*construire* [men m
der **Bauch** es/äu-e	belly, abdomen	le ventre, l'abdo-
der '**Bauer** n/n	peasant, farmer	le paysan, le cultivateur
der Bauernhof	*farm*	*la ferme*
der **Baum** es/äu-e	tree	l'arbre m
auf einen Baum klettern	*to climb (up) a tree*	*grimper sur un arbre*
der **Be'amte** n/n	official, civil servant	l'employé m, le fonctionnaire
der **Be'darf** s	need, want	le(s) besoin(s) *(pl)*
Bedarf haben	*to be in need (of), to want*	*avoir besoin (de) [besoins*
den Bedarf decken	*to supply the need*	*satisfaire aux*
be'**dauern**	to regret	regretter
zu meinem (großen) Bedauern	*(much) to my regret*	*à mon (grand) regret*
be'**decken (mit)**	to cover (with)	couvrir (de)
be'**deuten**	to mean	signifier, vouloir dire
bedeutend	*important, great*	*important*
die **Be deutung** /en	meaning; importance	la signification; l'importance f
be'**dienen**	to serve, to wait on	servir
sich bedienen	*to help o.s.*	*se servir*
bedienen Sie sich!	*help yourself*	*servez-vous!*
die **Be'dingung** /en	condition	la condition
unter der Bedingung, daß	*on condition that*	*à (la) condition que*
unter einer Bedingung	*on one condition*	*à une condition*
unter welchen Bedingungen	*on what conditions*	*dans quelles conditions*
zu günstigen Bedingungen	*on easy terms*	*à des conditions avantageuses*

be'enden	to finish, to end	finir, terminer
→ beginnen		
der Be'fehl s/e	order	l'ordre *m*
be'fehlen a-o/ie	to order	ordonner
→ gehorchen		
be'gegnen / treffen	to meet	rencontrer
die Begegnung	*meeting*	*la rencontre*
der Be'ginn s	beginning	le commencement,
→ Ende / Schluß	*[(of)]*	le début
zu Beginn	*in/at the beginning*	*au début (de)*
Beginn der Vorstellung	*the curtain goes*	*(lever de) rideau*
(um) . . .	*up (at)*	*(à); début de la*
		séance
be'ginnen a-o	to begin, to set in,	commencer, se
→ beenden / aufhören	to start	mettre à
be'gleiten	to accompany/go	accompagner
	with	
jdn nach Hause	*to see s.o. home*	*accompagner qn*
begleiten		*chez lui*
der Begleiter	*companion*	*le compagnon*
die Begleitung	*company*	*la compagnie*
in Begleitung von	*accompanied by*	*en compagnie de*
der Be'griff s/e	idea	l'idée *f*
im Begriff sein	*to be going to*	*être en train de*
be'halten ie-a/ä	to keep	garder, conserver
→ wegschaffen		
behalte das für dich	*keep this private*	*garde ça pour toi*
be'handeln	to treat, to attend	traiter, soigner
einen Kranken	*to treat a patient*	*traiter/soigner un*
behandeln		*malade*
anständig behandeln	*to give a square deal*	*traiter comme il*
		faut [soins
die Behandlung	*treatment, care*	*le traitement, les*
be'haupten	to hold, to state	prétendre, affirmer
die Behauptung	*statement*	*l'affirmation f*
die Be'hörde /n	authority/ies	l'autorité *f*
'beide	both	les deux
alle beide	*both of them*	*tous (les) deux*
keiner von beiden	*neither (of the two)*	*aucun des deux*
auf beiden Seiten	*on both sides*	*des deux côtés*
das Bein es/e	leg	la jambe
das Bein brechen	*to break o's leg*	*se casser la jambe*
auf den Beinen sein	*to be on the move*	*être sur pied*
das Tischbein	*table-leg*	*le pied de table*

'beinahe / fast	almost, nearly	presque, à peu près
das 'Beispiel s/e	example, instance	l'exemple *m*
zum Beispiel (z.B.)	*for example/ instance (e.g.)*	*par exemple (p.ex.)*
wie zum Beispiel	*such as*	*comme par exemple*
ein Beispiel geben	*to set an example*	*donner un exemple*
'beißen i-i	to bite	mordre
in den sauren Apfel beißen	*to swallow the bitter pill*	*avaler la pilule*
be'kannt	(well-)known, familiar	connu, familier,ière
→ unbekannt / fremd		
mit jdm bekannt sein	*to be acquainted with s.o.*	*connaître qn*
es ist bekannt, daß	*it's (generally) known that*	*on sait que*
der Be'kannte n/n	acquaintance	l'ami *m*, la connaissance
→ Unbekannte / Fremde		
ein (guter) Bekannter von mir	*a friend of mine*	*un de mes (bons) amis*
die Be'kannt-machung /en	notice	l'avis *m*
be'kommen a-o	to receive, to get	recevoir
→ geben		
be'laden u-a/ä	to load	charger
→ abladen		
be'liebt → unbeliebt	popular	populaire
be'lohnen → bestrafen	to reward	récompenser
die Belohnung	*reward*	*la récompense*
be'merken	to remark; to observe	remarquer; (s')apercevoir
bemerkenswert	*remarkable*	*remarquable*
sich be'mühen	to try, to take trouble	s'efforcer (de), tâcher
die Bemühung	*effort, trouble*	*l'effort m, la peine*
sich be'nehmen a-o/i	to behave	se conduire
sich anständig be-nehmen	*to behave properly*	*se conduire bien*
be'nutzen	to use	employer, utiliser
den Zug benutzen	*to go by train*	*prendre le train*
das Ben'zin s/e	petrol, gas *am*	l'essence *f*
be'obachten	to observe	observer
die Beobachtung	*observation*	*l'observation f*
be'quem → unbequem	comfortable; conveni-ent; at ease, easy	confortable; commode; à l'aise

machen Sie sich's bequem	make yourself comfortable	mettez-vous à l'aise
be'reit	ready	prêt
sich bereit machen	to make o.s. ready	se préparer
bereit sein zu	to be prepared to	être prêt à
be'reits / schon	already	déjà
der Berg es/e → Tal	mountain, mount	la montagne, le mont
einen Berg besteigen	to climb a mountain	monter sur une montagne
über Berg und Tal	over hill and dale	par monts et par vaux
der Be'richt s/e	report, account	le rapport, le récit
be'richten	to report, to tell	rapporter, raconter
der Be'ruf es/e	profession, trade, occupation	la profession, le métier
von Beruf	by profession/trade	de profession, de son métier
einen Beruf ergreifen	to enter a profession	embrasser une profession
einen Beruf ausüben	to practise a profession	exercer une profession
beruflich	professional	professionnel,le
be'rühmt	famous	célèbre
be'rühren	to touch	toucher
bitte nicht berühren!	please do not touch	ne pas toucher
die Berührung	touch	le contact
be'schäftigen	to employ, to occupy	employer, occuper
sich mit etwas beschäftigen	to be busy with	s'occuper de qc
beschäftigt sein	to be occupied	être occupé
be'schließen o-o	to determine	décider, résoudre de
der Be'schluß sses/ üsse	decision, resolution	la décision, la résolution
der 'Besen s/-	broom	le balai
be'setzen	to occupy	occuper
besetzt	engaged; full up	occupé; complet,ète
der Be'sitz es/ Besitztümer / Besitzungen	property, possession	la propriété, la possession [de
in Besitz nehmen	to take possession of	prendre possession
be'sitzen a-e	to possess/own/have (got)	posséder, avoir
be'sondere(r,s)	special, particular	spécial, particulier
nichts Besonderes	nothing unusual	pas grand'chose

be'sonders	particularly, especially	particulièrement, surtout
be'sorgen	to see to; to get	s'occuper de; procurer
Besorgungen machen	*to run errands*	*faire ses/des courses*
'besser (s. gut)	better	meilleur, mieux
immer besser	*better and better*	*de mieux en mieux*
desto besser!	*so much the better*	*tant mieux!*
etwas Besseres	*a better thing*	*qc de meilleur, de mieux*
am besten	*best*	*le mieux*
der (die, das) beste	*the best*	*le (la) meilleur(e)*
das Beste	*the best (thing)*	*le meilleur, le mieux*
er tut sein Bestes	*he does his best*	*il fait de son mieux*
ich danke bestens	*thank you very much*	*merci bien*
be'stehen a-a (aus)	to consist (of), to be composed (of);	consister (en), se composer (de)
eine Prüfung bestehen	*to pass an examination*	*être reçu à un examen*
be'stellen	to order, to ask, to give an order	commander, faire une commande
ein Bier bestellen	*to order a beer*	*commander/demander une bière*
2 Plätze bestellen	*to book 2 seats*	*retenir 2 places*
schöne Grüße bestellen	*to give kind regards*	*transmettre des amitiés*
be'stimmen	to determine; to set	déterminer; fixer
be'stimmt → unbestimmt / vielleicht	for sure, certainly, without doubt	sûrement, certainement, sans aucun doute
er kommt bestimmt	*he is sure to come*	*il viendra certainement*
be'strafen (für) → belohnen	to punish (for)	punir (de) [ment
der Be'such es/e	visit; attendance	la visite; la présence
jdm einen Besuch machen	*to pay a visit to s.o.*	*rendre visite à qn*
auf Besuch (bei)	*on a visit (to)*	*en visite (chez)*
Besuch haben	*to have visitors*	*avoir du monde*
be'suchen	to visit; to go/come to see; to attend	visiter; aller/veir voir; fréquenter
besuche mich einmal	*come to see me some time*	*viens me voir un jour*
das Theater besuchen	*to go to the theatre*	*aller au théâtre*

be'trachten / ansehen — to regard; to view — regarder; considérer
  das kommt nicht in Betracht — that's out of the question — il n'en est pas question
  beträchtlich — considerable — considérable

der Be'trag s/ä-e — sum, amount — la somme, le montant
  Betrag erhalten — payment received — pour acquit
  betragen — to amount — s'élever à
  der Preis beträgt 3 DM — the price comes to 3 marks — le prix en est de 3 marks

be'treffen af-o/i — to concern — regarder, concerner
  was mich betrifft — as for me — quant à moi

be'treten a-e/itt →verlassen — to enter — entrer (dans)
  Betreten verboten! — *Keep off! No entrance!* — *Défense d'entrer!*

der Be'trieb s/e — works, (work)shop, factory, plant — l'entreprise f, l'usine f, l'atelier m
  außer Betrieb — out of action / order — hors (de) service
  in Betrieb — in action / operation / order — en service
  in Betrieb setzen — to put in action / into operation — mettre en marche

das Bett es/en — bed — le lit   [aller au lit
  zu Bett gehen — to go to bed — aller se coucher,
  das Bett hüten — to stay in bed — garder le lit
  noch im Bett — still in bed — encore au lit
  die Bettwäsche — linen — les draps pl

be'urteilen — to judge — juger

die Be'völkerung — population — la population

be'wegen — to move — mouvoir
  sich bewegen — to move — remuer, bouger
  die Bewegung — movement — le mouvement

der Be'weis es/e — proof, argument — la preuve
  beweisen — to prove, to argue — prouver, montrer

das Be'wußtsein s — consciousness — la conscience; connaissance
  das Bewußtsein verlieren — to lose consciousness — perdre connaissance

be'zahlen — to pay — payer
  teuer bezahlen — to pay dear (for) — payer cher
  die Bezahlung — pay(ment) — le paiement
  gegen Bezahlung — against payment — contre paiement

be'zeichnen — to mark; characterize — marquer; caractériser

bezeichnend	*representative*	*caractéristique*
die Be'ziehung /en	regard, relation	le rapport, la relation
in dieser Beziehung	*in this regard*	*à cet égard*
in jeder Beziehung	*in every regard*	*à tous égards*
beziehungsweise	*respectively, or (rather)*	*respectivement, ou (bien)*
das Bier es/e	beer	la bière
'bieten o-o	offer, present	offrir, présenter
das Bild es/er	picture; image; painting; photo	l'image *f;* le tableau; la photo
der Bildschirm	*screen*	*l'écran* m
'bilden	to form; to educate	former; éduquer
ein gebildeter Mensch	*a cultivated man*	*un homme cultivé*
die Bildung	*formation, education*	*la formation, l'éducation* f
die Allgemeinbildung	*general education*	*la culture générale*
'billig → teuer	cheap	bon marché
billiger	*less expensive*	*moins cher,ère; (à)meilleur marché*
bin (1. pers sg präs v. sein)		
'binden a-u → lösen	to bind, to tie	lier
der Bindfaden	*string*	*la ficelle*
die 'Birne /n	pear	la poire
bis dann	till then	à tout à l'heure
bis dahin	*by then*	*d'ici là, jusque-là*
bis jetzt	*up to now, as yet*	*jusqu'ici*
bis morgen!	*see you tomorrow!*	*à demain!*
bis'her	till now, as yet	jusqu'ici
ein 'bißchen → viel	a little, a (little) bit	un peu (de), un brin (de)
bist (2. pers sg präs v. sein)		
'bitte! → danke!	(if you) please; don't mention it, you are welcome	s'il te plaît, s'il vous plaît; je vous en prie
bitte?	*pardon?*	*pardon?*
wie bitte?	*I beg your pardon?*	*pardon? vous dites?*
die 'Bitte /n → Dank	request	la prière, la demande
'bitten a-e → danken	to request/ask/beg	prier, demander
darf ich Sie bitten?	*may I trouble you?*	*vous permettez?*
(ich bitte um) Verzeihung!	*(I beg your) pardon; sorry!*	*(je vous demande) pardon!*

'bitter	bitter	amer,ère
das Blatt es/ä-er	leaf; sheet	la feuille
ein Blatt Papier	*a sheet of paper*	*une feuille de papier*
blau	blue	bleu
hellblau/dunkelblau	*light blue/dark blue*	*bleu clair/bleu foncé*
'bleiben ie-ie	to stay, to remain	rester, demeurer
→ weggehen, sich ändern		
zu Hause bleiben	*to stay in*	*rester à la maison*
es bleibt dabei	*agreed*	*c'est entendu*
bleiben Sie sitzen!	*please remain seated, don't get up*	*restez assis!*
es bleiben zwei übrig	*there are two left*	*il en reste deux*
der 'Bleistift s/e	pencil	le crayon
der Blick s/e	look; view	le regard, coup d'œil; la vue
auf den ersten Blick	*at first sight*	*au premier coup d'œil*
einen Blick werfen (auf)	*to take a look (at)*	*jeter un regard (sur)*
blicken	*to look*	*regarder*
blind → sehend	blind	aveugle
der Blitz es/e	lightning, flash	l'éclair m, la foudre
es blitzt	*it is lightening*	*il fait des éclairs*
bloß/nur	only, simply	seulement, simplement
der bloße Gedanke an	*the very thought of*	*la seule pensée de*
'blühen	to bloom, to flourish	fleurir, être en fleur
die Blüte	*flower, blossom*	*la fleur*
in Blüte stehen	*to be in (full) bloom*	*être en fleur*
die 'Blume /n	flower	la fleur [le chemisier
die 'Bluse /n	blouse	la blouse; le corsage,
das Blut es	blood	le sang
bluten	*to bleed*	*saigner*
der 'Boden s/ö	soil, ground; floor; bottom	le sol, la terre; le plancher, le fond
auf dem Boden	*on the ground*	*par terre*
der Bord s/e	board	le bord
an Bord gehen	*to go on board*	*monter à bord*
an Bord	*aboard*	*à bord*
'böse	evil; angry	mauvais/mal; fâché
jdm böse sein	*to be angry with s.o.*	*en vouloir à qn*
böse werden	*to get angry*	*se fâcher*

'braten ie-a/ä	to roast [to want	(faire) rôtir
'brauchen	to need, to require,	avoir besoin de
er braucht Geld	*he needs money*	*il a besoin d'argent*
braun	brown	brun
braun werden	*to turn brown*	*brunir; bronzer*
die Braunkohle	*brown/soft coal, lignite*	*le lignite*
'brechen a-o/i	to break	briser, casser, rompre
den Arm brechen	*to break o's arm*	*se casser le bras*
sein Wort brechen	*to break o's word*	*manquer à sa parole*
breit → eng, schmal	broad, wide	large
4 Meter breit sein	*to be 4 metres wide*	*avoir 4 mètres de large [de . . .?*
wie breit ist . . .?	*how wide is . . .?*	*quelle est la largeur*
die Breite	*breadth*	*la largeur*
'brennen a-a	to burn; to be on fire	brûler
es brennt!	*fire!*	*au feu!*
das Haus brennt	*the house is on fire*	*la maison brûle*
wo brennt's denn?	*what's the matter?*	*qu'y a-t-il?*
das Brett es/er	board	la planche
das Bücherbrett	*shelf*	*le rayon*
der Brief es/e	letter	la lettre
Briefe wechseln (mit)	*to correspond (with)*	*échanger des lettres (avec)*
Einschreiben!	*Registered!*	*Recommandé!*
einen Brief freimachen	*to stamp a letter*	*affranchir une lettre*
einen Brief zur Post bringen	*to post a letter*	*mettre une lettre à la poste*
einen Brief erhalten	*to get a letter*	*recevoir une lettre*
der Briefkasten	*letter-box; pillar-box*	*la boîte aux lettres*
die Briefmarke	*stamp*	*le timbre(-poste)*
Briefmarken sammeln	*to collect stamps*	*collectionner les timbres*
das Briefpapier	*note-paper*	*le papier à lettres*
der Briefträger	*postman, mailman*	*le facteur*
der Briefumschlag	*envelope [am*	*l'enveloppe f*
die 'Brille /n	glasses *pl*	les lunettes *pl*
eine Brille tragen	*to wear glasses*	*porter des lunettes*
die Brille aufsetzen	*to put on o's glasses*	*mettre ses lunettes*
'bringen a-a → (ab)holen	to bring; to take	apporter, amener; porter, mener

Hilfe bringen	to bring help	*porter secours*
Glück bringen	to bring good luck	*porter bonheur*
Gewinn bringen	to yield a profit	*rapporter*
das Brot es/e	bread, loaf of bread	le pain
sein Brot verdienen	to earn one's bread/livelihood	*gagner son pain/sa vie*
das Brötchen	roll	*le petit pain*
eine Scheibe Brot	a slice of bread	*une tranche de pain*
ein Stück Brot	a piece of bread	*un morceau de pain*
die 'Brücke /n	bridge	le pont
der 'Bruder s/ü	brother	le frère
mein älterer Bruder	my elder brother	*mon frère aîné*
mein jüngerer Bruder	my younger brother	*mon frère cadet*
die Brust /ü-e	chest; breast	la poitrine, la gorge; le sein
das Buch es/ü-er	book	le livre
das antiquarische Buch	second-hand book	*le livre d'occasion*
die Bücherei	library	*la bibliothèque*
der 'Buchstabe n/n	letter, character	la lettre, le caractère
buchstabieren	to spell	*épeler*
'bügeln	to iron, to press	repasser
die 'Bühne /n	scene, stage	la scène
bunt	coloured; multi-coloured	coloré; multicolore; bariolé
der 'Bürger s/-	citizen	le citoyen
das Bü'ro s/s	office	le bureau
die 'Bürste /n	brush	la brosse
bürsten	to brush	*brosser*
der Bus sses/sse	bus; coach	l'autobus m; l'autocar m
mit dem Bus fahren	to go by bus	*prendre l'autobus*
die Bushaltestelle	bus stop	*l'arrêt d'autobus*
die 'Butter	butter	le beurre

C

der Cha'rakter s/e	character	le caractère
der Chef s/s	chief, head	le chef, le patron
die Che'mie	chemistry	la chimie
chemisch	chemical	*chimique*
der Chor s/ö-e	choir, chorus	le chœur, la chorale

D

da → hier/fort/weg	(over) there; then; present	là, y; alors; à ce moment; présent
da!	*look!*	*tiens!, tenez!*
hier und da	*here and there*	*çà et là*
da ist/sind	*there is/are*	*il y a, il est, il existe*
da haben wir's	*there we are*	*nous y voilà*
da bin ich	*here I am*	*me voici*
da'bei	there, present	y, présent
ich war dabei	*I was there*	*j'y étais, j'étais présent*
gerade dabei sein zu	*to be going/about to*	*être en train/sur le point de*
das Dach s/ä-er	roof	le toit
'dachte (1., 3. pers sg prät v. denken)		
'dadurch	through there; by this means; as a result	par là; par ce moyen; par suite
dafür	for it; instead (of)	pour cela; en échange
'dafür danke ich Ihnen	*I thank you for it*	*je vous en remercie*
ich kann nichts da'für	*I can't help it*	*je n'y peux rien*
da'gegen	against it; on the other hand, on the contrary	là contre; par contre, au contraire
ich habe nichts dagegen	*I don't mind (it)*	*je n'ai rien contre, je veux bien*
wenn Sie nichts dagegen haben	*if you don't object*	*si vous n'y voyez pas d'objection*
'daher	so; therefore	de là; c'est pourquoi
daher kommt es, daß	*thus it happens that*	*de là vient que*
'dahin	(over) there	là
bis dahin	*until then, so far*	*jusque-là; d'ici là*
da'hin	gone	passé
da'hinter → davor	behind	derrière [(-là)
'damals	then, at that time	alors, à cette époque
die 'Dame /n	lady	la dame
meine Damen und Herren!	*ladies and gentlemen*	*mesdames, mesdemoiselles, messieurs*
Damen – Herren/ D – H	*Ladies – Gentlemen*	*Dames – Messieurs*

'damit | with that/it | avec cela
was meinen Sie damit? | *what do you mean by it?* | *qu'entendez-vous par là?*
der Dampf es/ä-e | steam | la vapeur
mit Volldampf | *full steam ahead* | *à toute vapeur*
der Dampfer | *steamer, liner* | *le bateau (à vapeur), le vapeur*

da'nach | after that/it, afterwards; accordingly | après cela; conformément à cela
gleich danach | *soon after* | *peu après*
da'neben | near it | à côté (de cela)
gleich daneben | *close by* | *tout à côté*
der Dank es → Bitte | thanks *pl* | le remerciement, la reconnaissance
vielen Dank! | *many thanks* | *merci bien*
mit Dank annehmen | *to accept with thanks* | *accepter avec reconnaissance*
dankbar | *grateful* | *reconnaissant*
danke! | *thank you* | *merci*
danke sehr! | *thank you very much* | *merci beaucoup*
danke, gleichfalls | *thank you, the same to you* | *merci, à vous de même*
'danken (jdm für etw) → bitten | to thank s.o. for | remercier qn de qc
nichts zu danken! | *don't mention it* | *pas de quoi!*
ja, danke! | *thank you!* | *oui, je veux bien, merci*
danke, nein! | *no, thank you* | *non, merci*
dann | then | alors, ensuite
und dann? | *and what next?* | *et après?*
dann und wann | *now and again* | *de temps en temps*
da'ran | at that/it | à cela, y
wer ist dran? | *whose turn is it?* | *à qui (est) le tour?*
nahe daran sein (zu) | *to be on the point (of)* | *être tout près (de)*
sich daran machen | *to set to* | *se mettre à*
da'rauf → darunter | on that/it; afterwards | là-dessus; ensuite
da'raus | out of that / it | de là / cela
da'rin | in that/it/there | là-dedans, y
darf (1., 3. pers sg präs v. dürfen)

'dar|legen	to state	exposer
'dar|stellen	to picture; to represent	décrire; représenter
da'rüber → darunter	over/above that/it; about that	là-dessus; à ce sujet
'darüber hinaus	*beyond*	*au-delà*
'darum	that's why	à cause de cela, c'est pourquoi, voilà pourquoi, pour cela
da'runter → darauf, darüber	under that/it; underneath	là-dessous, au-dessous
das	this; that	ceci; celà, ça
das, was	*what*	*ce qui/que*
'da|sein	to exist	exister
das Dasein	*existence, being*	*l'existence* f
das'selbe	the same thing	la même chose
'dauern	to last; to take	durer; prendre
lange dauern	*to take long*	*traîner en longueur*
dauernd	*permanently*	*sans cesse*
der 'Daumen s/-	thumb	le pouce
davon	of/from that/it	de cela, en
er ist auf und da'von	*he ran away*	*il s'est sauvé*
'davon weiß ich nichts	*I know nothing about it*	*je n'en sais rien*
'dazu	to/with that/it; therefore; besides	à cela; avec cela; pour cela; en outre
dazu kommt	*add to this*	*ajoutez à cela*
die 'Decke /n	cover, cloth; ceiling; layer	la couverture, le tapis; le plafond; la couche
der 'Deckel s/-	lid	le couvercle
'decken	to cover	couvrir
den Bedarf decken	*to supply the need*	*satisfaire aux besoins*
den Tisch decken	*to lay the cloth*	*mettre le couvert*
'denken a-a- (an)	to think (of)	penser (à)
wo denken Sie hin?	*not on your life!*	*pensez-vous!*
denken Sie mal!	*just imagine!, think of it!*	*pensez donc!*
ja, ich denke schon	*I think so*	*oui, je le pense*
'dennoch	however, anyhow, all the same	cependant, toutefois, quand même
der'selbe	the same	le même
→ der andere		

'deshalb	therefore, that is why, for that reason	pour cela, c'est pourquoi, à cause de cela
'desto	the	d'autant
desto besser!	so much the better	tant mieux!
desto schlimmer!	so much the worse	tant pis!
'deswegen	that's why	c'est pourquoi
eben deswegen	for that very reason	pour cette raison même
'deutlich → undeutlich	distinct	distinct, net
deutsch	German	allemand
auf deutsch	in German	en allemand
deutsch sprechen	to speak German	parler allemand
ich lerne Deutsch	I learn German	j'apprends l'allemand
ins Deutsche übersetzen	to translate into German	traduire en allemand
sprechen Sie Deutsch?	do you speak German?	parlez-vous (l')allemand?
er versteht Deutsch	he understands German	il comprend l'allemand
der 'Deutsche n/n	German	l'Allemand m
wir Deutschen	we Germans	nous autres Allemands
'Deutschland s	Germany	l'Allemagne f
in/nach Deutschland	in/to Germany	en Allemagne
dicht	dense; thick; tight	dense; épais,se; étanche
dicht bei	close by	tout près de
dicht aneinander	close together	tout près l'un de l'autre
der 'Dichter s/-	poet	le poète
die Dichtung	fiction	la poésie
dick → dünn	thick	gros,se; épais,se
2 Meter dick	2 metres thick	épais de 2 mètres
der Dieb s/e	thief	le voleur
haltet den Dieb!	stop thief!	au voleur!
'dienen → herrschen	to serve	servir
womit kann ich dienen?	what can I do for you?	qu'y a-t-il pour votre service?
der Dienst es/e	service; office; work	le service; l'office m
Dienst haben	to be on duty	être de service
dienstfrei haben	to be off duty	ne pas être de service

einen Dienst erweisen	to do / to render a service	*rendre (un) service*
dies	this	ceci
'diese(r,s) → jener	this/this one	ce(t/cette) . . . -ci; celui/celle-ci
'diesmal	this once/time	cette fois-ci
das Ding es/e; /Sache	thing	la chose
vor allen Dingen	*first of all*	*avant tout*
di'rekt → indirekt	directly, straight	directement, droit
der Di'rektor s/en	director; headmaster	le directeur; le proviseur
doch	still, after all	cependant, pourtant
komm doch!	*do come!*	*viens donc!*
doch, ich komme	*yes, I'm coming, I'll come*	*si, je viens*
ja doch!	*yes, indeed!*	*mais oui!*
nicht doch!	*don't!*	*mais non!*
der 'Doktor s/en	doctor	le docteur
Herr Doktor!	*doctor*	*docteur!, Monsieur!*
den Doktor holen	*to send for the doctor*	*faire venir le médecin*
der 'Donner s	thunder	le tonnerre
ein Donnerschlag	*a clap of thunder*	*un coup de tonnerre*
es donnert	*it's thundering*	*il tonne*
'doppelt	double, twice	double
das Dorf s/ö-er	village	le village
dort → hier	(over) there	là(-bas), y
wer ist dort?	*who is speaking?*	*allô?, qui parle?*
'dorthin → hierher	there	là(-bas), y
der Draht es/ä-e	wire	le fil de fer
drahtlos	*wireless*	*sans fil*
dran (s. daran)		
wer ist dran?	*whose turn is it?*	*à qui (est) le tour?*
Sie sind dran	*it's your turn*	*c'est à vous (de)*
'drängen	to press	presser
nicht drängen!	*don't push*	*ne poussez pas!*
drauf (s. darauf)		
'draußen → darin	outside, out of doors	dehors, au dehors
'drehen	to turn; to roll	tourner; rouler
drin (s. darin)		
'dringend	urgent	urgent
die Sache ist dringend	*the matter is urgent*	*il y a urgence*
'drinnen	inside; within; in (it)	dedans; à l'intérieur

'drohen	to threaten	menacer
'drüben	on the other side	de l'autre côté
der Druck s/ü-e; u-e	pressure; print	la pression; l'impression f
'drucken	to print	imprimer
'drücken	to press	presser, serrer
den Knopf drücken	to press the button [(with)	appuyer sur le bouton
die Hand drücken	to shake hands	serrer la main
Drücken!	Push!	Poussez!
dumm → klug/weise	stupid, silly, dull	sot,te; bête
dummes Zeug reden	to talk nonsense	dire des bêtises f pl
eine Dummheit machen	to do a silly thing	faire une bêtise
mach keine Dummheiten	don't do anything silly	ne fais pas de bêtises
der Dummkopf	stupid fool	l'idiot m
'dunkel → hell	dark; obscure	sombre; obscur
im Dunkeln	in the dark	à l'ombre f
es ist dunkel	it is dark	il fait sombre
es wird dunkel	it's getting dark	la nuit tombe
dunkelblau	dark-blue	bleu foncé
die Dunkelheit	darkness	l'obscurité f
bei einbrechender Dunkelheit	at nightfall/dusk	à la nuit tombante
dünn → dick	fine, thin	fin, mince
durch und durch	thoroughly	d'un bout à l'autre
durch und durch naß	wet through	trempé
durch Fleiß	by working	à force de travail
durch'aus	quite, absolutely	tout à fait, entièrement
durch'aus nicht!	not at all, by no means	non, pas du tout! [désordre
durchein'ander	in disorder	pêle-mêle, en
ich bin ganz durcheinander	I'm all mixed up	je suis tout bouleversé
die 'Durchfahrt /en	passage	le passage
Durchfahrt verboten!	No thoroughfare!	Passage interdit!
'durch|führen	to carry out, to execute	exécuter
durch'queren	to cross	traverser
der 'Durchschnitt s/e	average	la moyenne
im Durchschnitt / durchschnittlich	on an average	en moyenne

über dem Durch-schnitt	*above average*	*au-dessus de la moyenne*
unter dem Durch-schnitt	*below average*	*au-dessous de la moyenne*
'durch|sehen a-e/ie	to review	revoir
'dürfen u-u/a	to be allowed/permitted	pouvoir, avoir la permission de
der Durst es	thirst	la soif
Durst haben	*to be thirsty*	*avoir soif*
durstig	*thirsty*	*altéré, assoiffé*
'duschen	to take a shower(-bath)	prendre une douche
das 'Dutzend s/e	dozen	la douzaine
dutzendweise	*by the dozen*	*par douzaines*

E

'eben → uneben	even	plat
die Ebene	*plain; level*	*la plaine; le niveau*
'eben	just (now)	tout à l'heure, à l'instant, juste(ment)
eben!	*exactly!*	*exactement!*
er ist eben weg-gegangen	*he has just left*	*il vient de sortir*
'ebenfalls/auch	also, as well, too	aussi, de même, également
danke, ebenfalls!	*thank you, the same to you*	*merci, à vous de même!*
'ebenso	alike, as well	aussi, de même
ebenso ... wie	*as ... as*	*aussi ... que*
ebenso gut wie	*as well as*	*aussi bien que*
ebenso viel/e wie	*as much/many as*	*autant (de/que)*
echt → falsch	true; real, pure	vrai; véritable
das ist echt!	*that's typical!*	*c'est typique!*
die 'Ecke /n	corner	le coin
an der Ecke	*at the (street) corner*	*au coin (de la rue)*
in der Ecke	*in the corner*	*dans le coin*
um die Ecke biegen	*to turn the corner*	*tourner au coin*
e'gal/gleich	equal	égal
das ist mir egal	*I don't care, it's all the same (to me)*	*ça m'est égal, je m'en moque pas mal*

die 'Ehe /n	marriage	le mariage; le ménage
'eher	rather	plutôt
die 'Ehre /n	honour	l'honneur *m*
zu Ehren von	in honour of	en l'honneur de
ehren	to honour	honorer
Sehr geehrter Herr	(Dear) Sir	Monsieur
das Ei s/er	egg	l'œuf *m*
ein weiches Ei	a soft-boiled egg	un œuf à la coque
ein hartes Ei	a hard-boiled egg	un œuf dur
ein Ei kochen	to boil an egg	faire cuire un œuf
Rührei	scrambled eggs pl	œufs brouillés pl
Spiegelei(er)	fried eggs pl	œufs pl sur le plat
'eigen → fremd	own	propre
mit eigenen Augen	with o's own eyes	de ses propres yeux
einen eigenen Wagen haben	to have got a car of o's own	avoir sa voiture personnelle
die 'Eigenschaft /en	property; quality	la propriété; la qualité
'eigentlich	to tell the truth; really, actually	à vrai dire; en réalité; au fond
was willst du eigentlich?	what do you want anyhow?	que veux-tu, en somme?
das 'Eigentum s/ü-er	property	la propriété
die 'Eile	haste	la hâte
in aller Eile	in great haste	en toute hâte
in Eile sein	to be in a rush	être pressé
eilen, sich beeilen	to make haste, to hurry	se hâter
es eilt	it's urgent	cela presse, c'est [urgent
ich habe es eilig	I'm in a hurry	je suis pressé
der 'Eimer s/-	pail, bucket	le seau
ein ... aus	on ... off	marche ... arrêt
ein'ander	each other, one another	l'un l'autre, les uns les autres
der 'Eindruck s/ü-e	impression	l'impression *f*
Eindruck machen	to impress, to make an impression	impressionner, faire une impression
'einfach	simple; plain	simple; naturel, le
einfach, zweiter (Klasse)	second (class), single	un aller, seconde
die 'Einfahrt /en → Ausfahrt	entrance	l'entrée *f*

Einfahrt verboten!	*No entrance!*	*Sens interdit!*
Einfahrt freihalten!	*Do not obstruct this entrance!*	*Ne pas stationner devant la porte!*
der 'Ein**fluß** sses/üsse	influence	l'influence *f*
Einfluß ausüben (auf)	*to exercise an influence (on)*	*exercer une influence (sur), influencer*
'ein|führen	to introduce; to import	introduire; importer
der 'Ein**gang** s/ä-e → Ausgang	entrance, way in	l'entrée *f*
Eingang verboten!	*No entrance!*	*Entrée interdite!*
'einige→ alle/sämtliche	some, a few	quelques(-uns)
'ein|kaufen → verkaufen	to shop/go shopping, to do the shopping	faire ses achats/ courses/provisions
billig | teuer einkaufen	*to buy cheap/dear*	*acheter bon marché/cher*
'ein|laden u-a/ä	to invite, ask	inviter
die Einladung	*invitation*	*l'invitation f*
einer Einladung folgen	*to accept an invitation*	*accepter une invitation*
'einmal	once, some day	une fois, un jour
noch einmal	*once more*	*encore une fois*
auf einmal	*suddenly*	*tout à coup*
ein für allemal	*once and for all*	*une fois pour toutes*
es war einmal	*once upon a time*	*il était une fois, il y avait une fois*
nicht einmal	*not even*	*ne . . . pas même*
hör einmal!	*listen*	*écoute donc!*
'ein|richten	to arrange; to install; to establish	arranger; installer; établir
schön eingerichtet	*well-furnished*	*bien installé*
es einrichten, daß	*to see to it that*	*faire en sorte que*
'ein|schalten → ausschalten	to switch on; to turn on	allumer; tourner le bouton
einst	once	autrefois
'ein|steigen ie-ie → aussteigen	to get in (into the train)	monter (en voiture/ dans le train)
einsteigen, bitte!	*take your seats, please*	*en voiture, s'il vous plaît!*
'ein|stellen	to regulate, to set; to take on	régler; mettre au point; engager
'ein|treten a-e/itt **(in)**	to enter, to get in, to come in	entrer (dans)

der 'Eintritt s	entrance, admission	l'entrée f
Eintritt frei!	*Entrance free!*	*Entrée libre!*
Eintritt verboten!	*Keep out!, No admittance!*	*Entrée interdite!, Défense d'entrer!*
die Eintrittskarte	ticket	la carte d'entrée, le billet, le ticket
eine Eintrittskarte lösen	*to buy a ticket, to book a seat*	*prendre un billet*
'einverstanden	agreed, all right	entendu, d'accord
einverstanden sein	*to agree (to)*	*être d'accord*
die 'Einzelheit /en	detail	le détail
in allen Einzelheiten	*in detail*	*dans tous les détails*
einzeln → zusammen	single; one by one	seul, séparé, isolé; un à un
ins einzelne gehen	*to go into details*	*entrer dans les détails*
'einzig	single, only	seul, unique
einzig und allein	*solely*	*uniquement*
das Eis es	ice; ice-cream	la glace
das 'Eisen s/-	iron	le fer
die Eisenindustrie	*iron industry*	*l'industrie f du fer*
die Eisenbahn	*railway,railroad am*	*le chemin de fer*
mit der (Eisen)Bahn	*by rail/train*	*en/par chemin de fer*
mit der Bahn fahren	*to go by train*	*aller en chemin de fer*
e'lektrisch	electric(al)	électrique
der elektrische Strom	*electric current*	*le courant électrique*
der Elektriker	*electrician*	*l'électricien m*
die Elektrizität	*electricity*	*l'électricité f*
die 'Eltern pl	parents *pl*	les parents *pl*
emp'fangen i-a/ä → schicken / holen	to receive	recevoir
emp'finden a-u	to sense, to feel	ressentir, éprouver
das 'Ende s/n → Anfang	end	la fin; le bout
am Ende	*at the end*	*à la fin, au bout*
zu Ende	*at an end*	*fini*
am Ende der Straße	*at the end of the street*	*au bout de la rue*
zu Ende gehen	*to come to an end*	*toucher à sa fin*
ein Ende machen	*to put an end to*	*mettre fin (à)*
Ende Mai	*the end of May*	*fin mai*
'enden → anfangen	to end, to bring to an end	finir, terminer

'endlich	at last, finally	enfin; à la fin
eng → weit	tight, narrow	étroit
eng verbunden	*closely allied*	*intimement lié*
'England s	England; Great Britain	l'Angleterre *f*
der 'Engländer s/-	Englishman	l'Anglais *m*
'englisch	English	anglais
die englische Sprache	*the English language*	*la langue anglaise*
auf englisch	*in English*	*en anglais*
er kann Englisch	*he speaks English*	*il parle anglais*
ent'decken	to discover	découvrir
die Entdeckung	*discovery*	*la découverte*
ent'fernt → nahe	away, (far) off, distant	éloigné, lointain, distant
2 Kilometer entfernt	*2 kilometres off/ away*	*distant de 2 kilomètres*
die Ent'fernung /en →Nähe	distance	la distance
in einer Entfernung von	*at a distance of*	*à une distance de*
aus der Entfernung	*from a distance*	*à distance*
ent'gegengesetzt	opposed, contrary	opposé, contraire
in der entgegen- gesetzten Richtung	*in the opposite direction*	*en sens inverse*
ent'halten ie-a/ä	to contain, to hold	contenir
ent'scheiden ie-ie (über)	to decide (on)	décider (de), résoudre
entschieden	*certainly*	*décidément*
die Entscheidung	*decision*	*la décision*
eine Entscheidung treffen	*to come to a decision*	*prendre une décision*
sich ent'schließen o-o	to decide, to make up o's mind	se décider, se résoudre (à)
ich habe mich ent- schlossen	*I have made up my mind*	*je me suis décidé*
ent'schlossen sein → unentschlossen sein	to be determined/ resolved	être décidé/ résolu (à)
der Ent'schluß sses/ üsse	decision, determination	la décision
einen Entschluß fassen	*to make a decision*	*prendre une décision*
ent'schuldigen	to excuse	excuser

entschuldigen Sie!, *Entschuldigung!*	*(I beg your) pardon!,* *(I am) sorry!*	*excusez-moi!,* *pardon!*
ent'stehen a-a → vergehen	to arise, to come into being	naître, se produire
ent'wickeln	to develop	développer
einen Film entwickeln	*to develop a film*	*développer une pellicule*
die Ent'wicklung /en	development	le développement
er'blicken	to catch sight of	apercevoir
die 'Erde /n	earth; world; ground, soil	la terre; le monde; le sol [entier
auf der ganzen Erde	*all the world over*	*dans le monde*
unter der Erde	*under ground*	*sous terre*
das Er'eignis sses/sse	event	l'événement m
er'fahren u-a/ä	to hear, to learn (of) to experience	apprendre; faire l'expérience (de) f
erfahren (in)	*well versed (in), at home (in)*	*versé (dans)*
die Er'fahrung /en	experience	l'expérience f
aus Erfahrung	*from experience*	*par expérience*
der Er'finder s/-	inventor	l'inventeur m
die Erfindung	*invention*	*l'invention f*
der Er'folg es/e → Mißerfolg	success	le succès
Erfolg haben	*to succeed (in), to meet with success*	*réussir*
das Er'gebnis sses/sse	result, effect	le résultat, l'effet m
er'greifen i-i	to seize, to take, to get hold of, to catch; to move	saisir, prendre; émouvoir, toucher
das Wort ergreifen	*(begin) to speak*	*prendre la parole*
Partei ergreifen (für)	*to take sides (with)*	*prendre parti(pour)*
ergriffen sein	*to be moved*	*être touché*
er'halten ie-a/ä	to receive, to get; to preserve	recevoir, obtenir; conserver
einen Brief erhalten	*to receive a letter*	*recevoir une lettre*
einen Platz erhalten	*to get a seat*	*obtenir une place*
gut erhalten	*in good condition*	*en bonne condition*
sich er'holen	to recover	se remettre
er'innern	to remind (of)	rappeler
sich er'innern (an) → vergessen	to remember	se souvenir (de), se rappeler
ich erinnere mich, daß	*I remember that*	*je me souviens que*

die Er'innerung /en	memory, recollection	le souvenir *[nir (de)*
zur Erinnerung (an)	*in memory (of)*	*en mémoire/souve-*
sich er'kälten	to catch (a) cold	prendre froid
die Erkältung	*cold*	*le rhume*
er'kennen a-a	to recognize; to realize.	reconnaître
er'klären	to explain; to declare	expliquer; déclarer
die Er'klärung /en	explanation; declaration	l'explication *f*; la déclaration
eine Erklärung ab-geben	*to make a statement*	*faire une déclaration*
er'lauben → verbieten	to permit, to allow	permettre
die Er'laubnis → Verbot	permission	la permission
um die Erlaubnis bitten	*to ask (for) permission*	*demander la permission*
der Erlaubnisschein	*permit*	*le permis*
ernst → heiter/komisch	serious, earnest; grave	sérieux,se; grave
es ernst meinen	*to be serious*	*être sérieux*
im Ernst	*seriously, in earnest*	*sérieusement*
die 'Ernte /n	crop; harvest	la récolte; la moisson
eine gute Kartoffel-ernte	*a good crop of potatoes*	*une bonne récolte de pommes de terre*
ernten	*to harvest, to gather*	*récolter; faire la moisson*
er'reichen → verpassen	to reach; to get; to achieve	atteindre; obtenir
den Zug erreichen	*to catch the train*	*attraper le train*
telephonisch er-reichen	*to get on the phone*	*joindre par téléphone*
das Ziel erreichen	*to gain o's end*	*arriver au but*
er'scheinen ie-ie	to appear, to turn up	(ap)paraître
soeben erschienen	*just published*	*vient de paraître*
er'setzen	to replace	remplacer
das Ersatzteil	*spare part*	*la pièce de rechange*
erst	first; only	d'abord; seulement
erst ... dann	*first ... then*	*d'abord ..., puis*
erst gestern	*only yesterday*	*hier seulement*
erst heute	*not until today*	*pas plus tôt qu'aujourd'hui*
erst morgen	*not until tomorrow*	*pas plus tôt que demain*

erst wenn / als	*not until*	*pas avant que*
er ist erst 4 (Jahre alt)	*he is only four*	*il n'a que 4 ans*
er'staunen (über)	to be astonished (at)	être étonné (de)
erstaunlich	*astonishing, amazing*	*étonnant, surprenant*
das Erstaunen	*astonishment*	*l'étonnement* m
der/die/das 'erste	the first	le premier, la première
der Erste des Monats	*the first day of the month*	*le premier du mois*
der Erste in der Klasse	*the top of the class*	*le premier de la classe*
in erster Linie	*in the first place*	*en premier lieu*
erstklassig	*first-class*	*de première qualité*
'erstmal/zunächst	first of all	tout d'abord
er'wähnen	to mention	mentionner
er'warten	to wait for; to expect (from)	attendre; s'attendre à
wider Erwarten	*contrary to expectation*	*contre toute attente*
er'werben a-o/i	to gain, to acquire	gagner, acquérir
er'zählen	to tell	raconter
eine Geschichte er-zählen	*to tell a story*	*raconter une histoire*
die Erzählung	*tale, story*	*le récit, le conte*
er'zeugen→vernichten	to produce	produire
das Erzeugnis	*product*	*le produit*
deutsches Erzeugnis	*made in Germany*	*fabriqué en Allemagne*
die Erzeugung	*production* [up	*la production*
er'ziehen o-o	to educate, to bring	élever, éduquer
die Erziehung	*education*	*l'éducation* f
'essen a-e/i	to eat; to take o's meal	manger; prendre son repas
(zu) Mittag essen	*to lunch/have dinner*	*déjeuner*
das 'Essen s/-	food; meal	le manger; le repas
das Essen kochen	*to cook/to prepare the meal*	*préparer le repas*
das Eßzimmer	*dining-room*	*la salle à manger*
'etwa	about; perhaps; by chance	environ; peut-être; par hasard
etwa 10 Jahre	*about 10 years (or so)*	*environ 10 ans*
etwa 100	*about 100*	*une centaine (de)*

'etwas	something; a little/ bit	quelque chose; un peu
etwas anderes	something else	autre chose
etwas Geld	some money	quelque argent
noch etwas?	(would you like) some more?	encore un peu?
so etwas	something like that	une chose dans ce genre-là
etwas Gutes	something good	quelque chose de bon
es geht mir etwas besser	I feel a bit better	je vais un peu mieux

F (20)

die Fa'brik /en	factory, mill, works	l'usine f, l'atelier m
das Fach s/ä-er	compartment; field	la case; la spécialité
der 'Faden s/ä	thread	le fil
den Faden verlieren	to lose the thread	perdre le fil
der Bindfaden	string	la ficelle
mit Bindfaden zu-einfädeln [binden	to tie up with string to thread	ficeler enfiler
'fähig (zu) → unfähig	capable (of), able (to)	capable (de), habile (à)
zu allem fähig	capable of anything	capable de tout
die Fähigkeit	capacity, [(cap)ability	la capacité
die 'Fahne /n	flag	le drapeau
'fahren u-a/ä	to go; to drive	aller; conduire
rechts fahren	to drive on the right	rouler/conduire à droite
Rechts fahren!	Keep to the right!	Serrez à droite!
mit dem Auto fahren	to travel by car	aller en auto/ voiture [fer
mit der Bahn fahren	to go by train/rail	aller en chemin de
mit dem Rad fahren	to go by bike	aller à bicyclette
mit dem Zug fahren	to take the train	prendre le train
Langsam fahren!	Drive slowly!	Ralentir!
der 'Fahrer s/-	driver	le conducteur, le chauffeur
die 'Fahrkarte /n	ticket	le billet, le ticket
eine Fahrkarte lösen	to take a ticket	prendre un billet/ ticket
Rückfahrkarte	return (ticket)	aller et retour
der Fahrschein	ticket	le billet, le ticket

noch jemand ohne Fahrschein?	(any more) fares, please?	les tickets, s'il vous plaît!
das 'Fahrrad s/ä-er	bicycle, bike	la bicyclette, le vélo
die 'Fahrschule /n	driving-school	l'auto-école f
die Fahrt /en	drive, ride, journey, trip	la promenade, le tour, le voyage, l'excursion f
gute Fahrt!	bon voyage!	bonne route!
in Fahrt sein	to be in full swing	être en train
der Fall es/ä-e	case [rate	le cas [façon
auf jeden Fall	in any case, at any	en tout cas, de toute
auf keinen Fall	by no means	en aucun cas
der Fall es/ä-e	fall	la chute
zu Fall bringen	to bring down	faire tomber
'fallen ie-a/ä→ steigen	to fall, to drop	tomber, faire une chute
fallen lassen	to drop	laisser tomber
es fällt mir ein	it strikes me	il me vient à l'esprit, j'y pense
es fällt mir schwer	it's difficult for me	j'ai du mal (à)
falsch → richtig/echt	false, wrong	faux, fausse
falsch verstehen	to misunderstand	mal comprendre
falsch singen	to sing wrong	chanter faux
falsch verbunden!	sorry, wrong number! [wrong	il y a erreur! [va pas
es ist etwas falsch	there is something	il y a qc qui ne
die Uhr geht falsch	the watch is wrong	la montre n'est pas à l'heure
auf der falschen Seite	on the wrong side	du mauvais côté
'falten	to fold	plier
einmal falten	to fold in two	plier en deux
doppelt falten	to fold in four	plier en quatre
die Fa'milie /n	family	la famille
Familie haben	to have children	avoir des enfants
im Kreise der Familie	in the family	en famille
der Familienname	family name, surname	le nom de famille
fand (1., 3. pers sg prät v. finden)		
'fangen i-a/ä	to catch	prendre, attraper
den Ball fangen	to catch the ball	attraper la balle
Feuer fangen	to catch fire	prendre feu
die 'Farbe /n	colour; paint	la couleur; la peinture

was für eine Farbe hat es?	what colour is it?	de quelle couleur est-ce?
Frisch gestrichen!	Wet paint!	Prenez garde à la peinture!
der Farbfilm	colour film	le film en couleurs
der Farbstift	coloured pencil	le crayon de couleur
farbig	coloured	en/de couleur, coloré
'fassen	to seize, to catch; to hold	prendre, saisir; contenir
an der Hand fassen	to take by the hand	prendre par la main
der Saal faßt 1000 Personen	the hall holds 1000 people	la salle contient 1000 personnes
sich ein Herz fassen	to take courage	prendre courage
Fasse dich kurz!	Make it short!	Soyez bref!
fast / beinahe	almost, nearly	presque, à peu près
faul → fleißig	lazy, idle	paresseux,se
die Faust /äu-e	fist	le poing
ein Faustschlag	a blow with the fist	un coup de poing
die Faust ballen	to clench o's fist	serrer le poing
die 'Feder /n	feather; pen, nib	la plume
der Federhalter	penholder	le porte-plume
'fegen / kehren	to sweep	balayer
'fehlen → da sein	to be lacking/absent/ missing	manquer
was fehlt Ihnen?	what is wrong with you? [defect	qu'avez-vous?
der 'Fehler s/-	mistake; fault,	la faute; le défaut
ein leichter/schwerer Fehler	a slight/bad mistake	une faute légère/ grave
einen Fehler machen	to make a mistake	faire une faute
einen Fehler haben	to have (got) a fault	avoir un défaut
'feiern	to celebrate; not to be working	fêter, célébrer; chômer
fein → unfein/grob	fine, choice, great	fin, exquis, joli
es schmeckt fein	it tastes delicious	cela a bon goût
ein feiner Mensch	a fine man	un homme distingué
der Feind es/e → Freund	enemy	l'ennemi m
feindlich	hostile	hostile
das Feld es/er	field	le champ
das Feld bestellen	to till the ground	cultiver les champs
auf freiem Feld	in the open	en pleine campagne
das Fell es/e	skin, fur	la peau, la fourrure
ein dickes Fell haben	to have a thick hide	avoir la peau dure

der Fels en/en	rock	le rocher
das 'Fenster s/-	window	la fenêtre, la glace
aus dem Fenster sehen	*to look out of the window*	*regarder par la fenêtre*
die Fensterscheibe	*window-pane*	*la vitre*
die 'Ferien pl	vacation, holidays *pl*	les vacances *pl*
Ferien machen	*to take o's holidays*	*prendre ses vacances*
Ferien haben	*to be on holiday*	*être en vacances*
in die Ferien gehen	*to go on holiday*	*partir en vacances*
die Ferien verbringen	*to spend o's holidays*	*passer ses vacances*
der Ferienkurs	*vacation course*	*le cours de vacances*
das Ferienlager	*holiday camp*	*le camp de vacances*
die Ferienreise	*holiday trip*	*le voyage de vacances*
fern → nahe	far, distant	loin, éloigné, lointain
von fern	*from a distance*	*de loin, à distance*
fern der Heimat	*far from home*	*loin du pays natal*
die 'Ferne /n → Nähe	distance	le lointain
in der Ferne	*in the distance*	*au loin*
aus der Ferne	*from a distance*	*de loin*
'ferner	further(more), moreover	de plus, en outre
das 'Ferngespräch s/e → Ortsgespräch	trunk-call, long-distance call *am*	la communication interurbaine
fernmündlich	*by telephone*	*par téléphone*
der Fernruf	*telephone call*	*l'appel téléphonique m*
das 'Fernsehen s	television	la télévision, la télé
fernsehen	*to watch television*	*regarder la télévision*
im Fernsehen	*on television*	*à la télévision*
der Fernsehapparat	*television set*	*le poste de télévision, le téléviseur*
der Fernsehzuschauer	*(tele)viewer*	*le téléspectateur*
der 'Fernsprecher s/- (s. Telefon)	telephone	le téléphone
öffentlicher Fernsprecher	*public telephone*	*téléphone public*
das Fernsprechbuch	*telephone directory, phone-book*	*l'annuaire (téléphonique) m*
im Fernsprechbuch nachsehen	*to consult the phone-book*	*consulter l'annuaire*
die Fernsprechnummer	*telephone number*	*le numéro de téléphone*

die Fernsprechzelle	*telephone-box*	*la cabine télé-phonique*
'fertig	ready; finished, done	prêt; fini
fertig sein	*to have finished*	*avoir fini*
sich fertig machen	*to get ready*	*s'apprêter (à)*
fertig!	*ready!, go!*	*allez!*
das Fest es/e	feast, festival	la fête [fête
ein frohes Fest	*a pleasant holiday*	*une joyeuse/bonne*
der Festtag	*holiday*	*le jour férié/de fête*
fest	firm; solid; fixed	ferme; solide; fixe
das feste Land	*firm ground*	*la terre ferme*
fest schlafen	*to be fast asleep*	*dormir profondément*
zu festen Preisen	*at fixed prices*	*à prix fixe*
'fest|halten ie-a/ä → loslassen	to hold fast	tenir ferme
sich festhalten (an)	*to hold on (to)*	*se tenir (à), s'accrocher (à)*
Bitte festhalten!	*Hold tight there!*	*Tenez-vous aux poignées et appuis!*
'fest|machen → losmachen	to attach/fasten (to); to fix	attacher (à); fixer
'fest|stellen	to notice, to find	constater, noter
fett → mager	fat	gras,se; gros,se
das Fett	*grease*	*la graisse*
der Fettfleck	*spot of grease*	*la tache de graisse*
feucht → trocken	damp	humide
das 'Feuer s/-	fire	le feu
Feuer!	*Fire!*	*Au feu!*
Feuer (an)machen	*to light a fire*	*faire du feu, allumer le feu*
haben Sie Feuer?	*have you got a light?*	*vous avez du feu?*
Achtung, Feuergefahr!	*Danger of fire!*	*Attention au feu!*
der Feuerlöscher	*fire extinguisher*	*l'extincteur* m
das 'Fieber s/-	fever	la fièvre
Fieber haben, fiebern	*to have/run a temperature*	*avoir (de) la fièvre / de la température*
fiel (1., 3. pers sg prät v. fallen)		[am
der Film es/e	film, picture, movie	le film; la pellicule
einen Film drehen	*to shoot a film*	*tourner un film*
'finden a-u → verlieren	to find	trouver
der 'Finger s/-	finger	le doigt

sich in den Finger schneiden	to cut o's finger	se couper le doigt
sich die Finger verbrennen	to burn o's fingers	.se brûler les doigts
'finster → hell/heiter	dark	sombre
es wird finster	is is getting dark	il commence à faire nuit
die Finsternis	darkness	l'obscurité f
die **'Firma** /Firmen	firm, house	la maison, la firme
der **Fisch** es/e	fish	le poisson
Fische fangen	to fish	prendre du poisson
fischen	to fish	pêcher
der Fischer	fisherman	le pêcheur
flach	flat, plain	plat
mit der flachen Hand	with the flat of o's hand	du plat de la main
das flache Land	flat country, plain	le pays plat, la plaine
die **'Flamme** /n	flame	la flamme
in Flammen	in flames	en flammes
die **'Flasche** /n	bottle	la bouteille
eine Flasche Wein	a bottle of wine	une bouteille de vin
eine Weinflasche	a wine bottle	une bouteille à vin
das **Fleisch** es	meat; flesh	la viande; la chair
die Fleischbrühe	beef-tea	le bouillon
der Fleischer	butcher	le boucher; le charcutier
der **Fleiß** es	application, industry	l'application f
durch Fleiß	by hard work	à force de travail
fleißig	hard-working, industrious	appliqué, travailleur
fleißig arbeiten	to work hard, to be a hard worker	travailler avec application, être travailleur
'flicken	to mend/repair	raccommoder, réparer
die **'Fliege** /n	fly	la mouche [rer
'fliegen o-o	to fly; to travel by air	voler; aller en avion, prendre l'avion m
'fliehen o-o	to flee/fly; to escape	fuir; s'enfuir
'fließen o-o	to flow, to run	couler
fließen (in)	to flow (into)	se jeter (dans)
mit fließendem Wasser	with running water	avec eau courante
fließend sprechen	to speak fluently	parler couramment
die **Flucht**	flight	la fuite

die Flucht ergreifen	to take to flight, to flee/fly	*prendre la fuite*
flüchten	to take refuge	*se réfugier*
der 'Flüchtling s/e	refugee	le réfugié
der Flug es/ü-e	flight	le vol
der Flugplatz	airport	*l'aérodrome m*
der 'Flügel s/-	wing; grand piano	l'aile *f*; le piano à queue
das 'Flugzeug s/e	aeroplane	l'avion *m*
mit dem Flugzeug	by plane	*en avion*
der Fluß sses/üsse	river	la rivière
'flüssig → fest	liquid	liquide
die Flüssigkeit	liquid	*le liquide*
die 'Folge /n	sequel; consequence	la suite; la conséquence
zur Folge haben	to result in	*avoir pour conséquence*
'folgen → vorausgehen	to follow	suivre
einem Beispiel folgen	to follow an example	*suivre un exemple*
wie folgt	as follows	*comme suit*
am folgenden Tage	the following/next [day	*le lendemain*
folglich	consequently, therefore	*par conséquent*
'fordern → gewähren	to demand, to claim, to ask	demander, réclamer, exiger
die Form /en	form, shape	la forme
in Form sein	to be in form/in good condition	*être en forme*
formen	to shape	*former*
der 'Forscher s/-	researcher, scientist	le chercheur, le savant
forschen	to research	*rechercher; étudier*
die Forschung	research (work)	*la recherche, l'étude f*
fort → da	gone; away, off	parti; absent, loin
in einem fort	on and on	*sans cesse*
und so fort	and so on	*et ainsi de suite*
ich muß fort	I must be off	*je dois partir*
fort!	go away!	*partez!*
'fort|fahren u-a/ä → anhalten / aufhören	to continue, to keep on, to go on	continuer
der 'Fortschritt es/e	progress	le progrès
Fortschritte machen	to make progress, to progress	*faire/réaliser des progrès, progresser*

'fort|setzen	to continue, to	continuer,
→ beenden	pursue	poursuivre
die 'Fortsetzung /en	sequel	la suite
Fortsetzung folgt.	*To be continued.*	*A suivre.*
das 'Foto s/s	photo, picture	la photo
der Fotoapparat	*camera*	*l'appareil m photo*
fotogra'fieren	to photograph, to take a picture	photographier
die 'Frage /n	question	la question
→ Antwort		
eine Frage stellen	*to ask a question*	*poser une question*
eine Frage aufwerfen	*to raise a question*	*soulever une question*
eine Frage beantworten	*to answer a question*	*répondre à une question*
das ist eine andere Frage	*that's another question*	*c'est une autre question*
das kommt nicht in Frage	*that's out of the question*	*il n'en est pas question*
'fragen → antworten	to ask	demander, interroger
ich frage mich, warum	*I wonder why*	*je me demande pourquoi*
das frage ich dich	*this I ask you*	*je te le demande*
'Frankreich s	France	la France
der Fran'zose n/n	Frenchman	le Français
er ist Franzose	*he is French*	*il est français*
fran'zösisch	French	français
auf französisch	*in French*	*en français*
er kann Französisch	*he speaks French*	*il parle français*
die französische Sprache	*the French language*	*la langue française*
die Frau /en	woman; wife	la femme; l'épouse f
Frau X	*Mrs X*	*Mme X*
gnädige Frau!	*Madam!*	*Madame!*
das 'Fräulein s/-	young lady, girl	la demoiselle
Fräulein X	*Miss X*	*Mlle X*
Fräulein X!	*Miss (X)!*	*Mademoiselle!*
frei → unfrei/besetzt	free; vacant	libre
Eintritt frei!	*Admission free!*	*Entrée libre!*
wir haben frei	*we have a holiday*	*nous avons congé*
ist der Platz frei?	*is this seat vacant?*	*cette place est-elle libre?*
im Freien	*in the open (air)*	*en plein air [libre?*
eine Zeile frei lassen	*to leave a line blank*	*laisser une ligne en blanc*

die 'Freiheit /en	liberty; freedom	la liberté
in Freiheit	*in freedom*	*en liberté*
'freilich	yes, indeed; sure enough	oui, certes; à vrai dire
die 'Freizeit	leisure, spare time	les loisirs *m pl*
fremd	strange; foreign	étranger,ère
ich bin hier fremd	*I am a stranger here*	*je ne suis pas d'ici*
fremde Sprachen	*foreign languages*	*langues étrangères*
der 'Fremde n/n	stranger; foreigner	l'étranger *m*
'fressen aß-e/iß	to eat, to devour	manger, dévorer
die 'Freude /n → Leid	joy, pleasure	la joie, le plaisir
seine Freude haben (an)	*to take pleasure (in)*	*trouver son plaisir (à)*
jdm eine Freude machen	*to give pleasure to s.o.*	*faire plaisir à qn*
mit Freuden	*with pleasure*	*avec plaisir*
freudestrahlend	*beaming with joy*	*radieux*
'freudig → traurig	joyful	joyeux,se
ein freudiges Ereignis	*a happy event*	*un heureux événement*
sich 'freuen → leiden	to be pleased (with)	se réjouir (de) *[tent*
es freut mich	*I am happy/glad*	*je suis heureux/con-*
sich auf etw freuen	*to look forward to*	*se réjouir d'avance de qc*
der Freund es/e → Feind / Gegner	friend, boyfriend	l'ami *m*
ein Freund von mir	*a friend of mine*	*un de mes amis*
die Freundschaft	*friendship*	*l'amitié* f
aus Freundschaft	*out of friendship*	*par amitié*
Freundschaft schließen (mit)	*to make friends (with)*	*se lier d'amitié (avec)*
'freundlich	friendly, kind(ly)	aimable; agréable
freundliche Grüße!	*kind regards!*	*amitiés!*
das ist sehr freundlich von Ihnen	*that is very kind of you*	*c'est bien aimable à vous*
seien Sie so freundlich	*be kind enough (to)*	*faites-moi la gentillesse (de)*
der 'Frieden s → Krieg	peace	la paix
laß mich in Frieden!	*leave me alone!*	*laisse-moi tranquille!*
friedlich	*peaceable; peaceful*	*pacifique; paisible*
'frieren o-o	to freeze; to be cold	geler; avoir froid
ich friere, mich friert	*I am cold*	*j'ai froid*

es friert	*it is freezing*	*il gèle*
frisch	fresh	frais, fraîche
frisch halten	*to keep fresh*	*garder au frais*
Frisch gestrichen!	*Wet paint!*	*Attention à la peinture!*
es ist frisch	*it is cool*	*il fait frais* [gai
froh → traurig	glad, joyful, gay	content; joyeux,se;
eine frohe Nachricht	*good news*	*une joyeuse nouvelle*
'fröhlich → traurig	merry, cheerful	gai, joyeux,se
Fröhliche Weihnachten!	*Merry Christmas!*	*Joyeux Noël!*
die Frucht /ü-e	fruit	le fruit
früh → spät	early, in good time	tôt, de bonne heure
am frühen Morgen	*early in the morning*	*de grand matin*
heute früh	*this morning*	*ce matin*
morgen früh	*tomorrow morning*	*demain matin*
von früh bis spät	*from morning till*	*du matin au soir*
zu früh kommen	*to be early* [night	*arriver/venir trop tôt, être en avance*
früh aufstehen	*to get up early*	*se lever de bonne heure*
'früher → später	sooner; in the past	plus tôt; autrefois
früher oder später	*sooner or later*	*tôt ou tard*
das 'Frühjahr s, **der 'Frühling** s/e	spring	le printemps
im Frühling	*in spring*	*au printemps*
das 'Frühstück s	breakfast	le petit déjeuner
zum Frühstück	*for breakfast*	*au petit déjeuner*
frühstücken	*to (have) breakfast*	*prendre le petit* [déjeuner
'fühlen	to feel	sentir
sich wohl fühlen	*to feel well*	*se sentir bien*
fuhr (1., 3. pers sg prät v. fahren)		
'führen	to lead, to drive; to take; to direct	conduire; mener; diriger
das führt zu nichts	*that leads us nowhere*	*cela ne mène à rien*
an der Leine führen	*to keep on the lead*	*tenir en laisse*
ein Gespräch führen	*to have a talk*	*s'entretenir (avec)*
der 'Führerschein s/e	driving-licence	le permis de conduire
'füllen (mit)	to fill (with)	remplir (de)
der Füller	*fountain-pen*	*le stylo*
der Funk s	wireless, radio, sound	la radio(diffusion)
im Funk	*on the wireless/ radio*	*à la radio*

die Furcht	fear	la crainte, la peur
aus Furcht (vor)	*for fear (of)*	*de peur (de)*
Furcht haben (vor)	*to be afraid (of)*	*avoir peur (de)*
'furchtbar	terrible, awful	terrible
'fürchten, sich	to be afraid of; to fear	avoir peur (de), craindre
fürchterlich	*dreadful*	*effroyable*
der Fuß es/ü-e	foot	le pied
zu Fuß	*on foot*	*à pied*
zu Fuß gehen	*to walk*	*aller à pied*
gut zu Fuß sein	*to be a good walker*	*être bon marcheur*
auf gutem Fuß stehen (mit)	*to be on good terms (with)*	*être en bons termes (avec)*
der Fußboden	*floor*	*le plancher*
der Fußgänger	*pedestrian*	*le piéton*
der 'Fußball s/ä-e	football	le football; le ballon
Fußball spielen	*to play football*	*jouer au football*
'füttern	to feed	nourrir, donner à manger

G

gab (1., 3. pers sg prät v. geben)		
die 'Gabe /n; /Geschenk	gift; present	le don; le cadeau
die 'Gabel /n	fork	la fourchette
mit der Gabel essen	*to eat with a fork*	*manger à la fourchette*
der Gang es/ä-e	walk(ing); way; speed/gear	la marche; l'allure *f;* la course; la vitesse
in Gang bringen	*to get going, to start up*	*mettre en marche*
in Gang sein	*to be on, to be in full swing*	*être en marche [marche*
in Gang halten	*to keep going*	*maintenir en*
im dritten Gang	*in third (gear)*	*en troisième vitesse*
sich in Gang setzen	*to start; to begin to move*	*se mettre en marche*
ganz	quite, whole; wholly, entirely	tout (entier); tout à fait, entièrement
von ganzem Herzen	*with all (my) heart*	*du fond du cœur*
ganz in der Nähe	*close by*	*tout près*

ganz gut	*not bad*	*assez bien, pas mal*
ganz gewiß	*most certainly*	*bien sûr*
ganz und gar	*wholly, altogether*	*tout à fait, entièrement, absolument*
ganz und gar nicht	*not at all, by no means*	*pas du tout, nullement*
gar nicht	not at all	pas du tout
gar nichts	nothing at all	rien du tout
die Gar'dine /n	curtain	le rideau
der 'Garten s/ä	garden	le jardin
das Gas es/e	gas	le gaz
Gas geben	*to step on the accelerator*	*accélérer, donner les gaz*
der Gast es/ä-e	guest	l'hôte *m*, l'invité *m*
Gäste haben	*to have company*	*avoir du monde*
das 'Gasthaus es/ äu-er	hotel, restaurant	le restaurant, l'hôtel *m*
die Gaststätte	*restaurant*	*le restaurant, la brasserie*
das Ge'bäude s/-	building	le bâtiment, l'édifice *m*
das öffentliche Gebäude	*public building*	*l'édifice public*
'geben a-e/i	to give	donner [existe
es gibt	*there is/are*	*il y a, il est, il*
was gibt's?	*what is the matter?*	*qu'est-ce qui se passe?*
was gibt's Neues?	*what's the news?*	*qu'y a-t-il de nouveau?, quoi de neuf?*
das Ge'biet es/e	field; district; area; region; territory	le territoire; la région
auf diesem Gebiet	*in this field*	*dans ce domaine*
ge'bildet (part perf v. bilden)	educated, cultured	cultivé, instruit
das Ge'birge s/-	mountains *pl*	la montagne
im Gebirge	*in the mountains*	*à la montagne*
ge'blieben (part perf v. bleiben)		
ge'boren → gestorben	born	né
wann sind Sie geboren?	*when were you born? [born?*	*quand êtes-vous né(e)?*
wo sind Sie geboren?	*where were you born?*	*où êtes-vous né(e)?*
geboren werden	*to be born*	*naître*

ich bin 1945 geboren	*I was born in 1945*	*je suis né(e) en 1945*
Goethe wurde 1749 geboren	*Goethe was born in 1749*	*Goethe naquit en 1749*
Frau X geb(orene) Y	*Mrs X née Y*	*M(ada)me X née Y*
ge'bracht (part perf v. bringen)		
der Ge'brauch s/ä-e	use	l'usage *m*
Gebrauch machen (von)	*to make use (of)*	*faire usage (de)*
in Gebrauch	*in use*	*en service*
außer Gebrauch	*out of use* [(of)	*hors d'usage*
ge'brauchen	to use, to make use	se servir (de), utiliser
gebraucht	*used/second-hand*	*d'occasion*
der Gebrauchtwagen	*used car*	*la voiture d'occasion*
zu nichts zu gebrauchen	*good for nothing*	*bon à rien*
die Ge'burt /en → Tod	birth	la naissance
von Geburt Deutscher	*German-born*	*Allemand de naissance*
Geburtsort und -tag	*place and date of birth*	*lieu et date de naissance*
der Ge'burtstag s/e	birthday	l'anniversaire *m*
ge'dacht (part perf v. denken)		
das Ge'dächtnis sses	memory	la mémoire
aus dem Gedächtnis	*by heart, from memory*	*par cœur, de mémoire*
zum Gedächtnis (an)	*in memory (of)*	*en souvenir (de)*
im Gedächtnis behalten	*to bear in mind*	*garder en mémoire*
der Ge'danke ns/n	thought, idea	la pensée, l'idée *f*
der bloße Gedanke	*the very thought (of it)*	*la seule pensée*
kein Gedanke!	*nothing of the kind!*	*y pensez-vous!*
sich Gedanken machen (über)	*to wonder / to worry (about)*	*s'inquiéter (de)*
das Ge'dicht es/e	poem	le poème
die Ge'duld	patience	la patience
Geduld haben	*to have patience*	*avoir de la patience*
die Geduld verlieren	*to lose patience*	*perdre patience*
(Sehr) ge'ehrter Herr X!	(Dear) Sir,	(Cher) Monsieur,

die Ge'fahr /en	danger; risk	le danger; le risque
in Gefahr	*in danger*	*en danger*
außer Gefahr	*out of danger*	*hors de danger*
Gefahr laufen (zu)	*to run the risk (of)*	*courir le risque (de)*
ge'fährlich	dangerous	dangereux,se
der Ge'fährte n/n	companion, fellow	le compagnon, le camarade
ge'fallen ie-a/ä	to please	plaire
wie gefällt Ihnen . . .?	*how do you like . . .?*	*comment trouvez-vous . . .?*
es gefällt mir (sehr)	*I like it (very much)*	*cela me plaît (beaucoup)*
gefällt Ihnen das?	*(do) you like it?*	*cela vous plaît-il?*
Gefallen finden (an)	*to enjoy*	*prendre plaisir (à), se plaire (à)*
einen Gefallen tun	*to do a favour*	*rendre un service*
tun Sie mir den Gefallen	*be so kind (as to); do me the favour*	*faites-moi ce plaisir*
das Ge'fängnis ses/se	prison	la prison
das Ge'fühl s/e	feeling	le sentiment
ge'funden (part perf v. finden)		
ge'gangen (part perf v. gehen)		
die 'Gegend /en	region; country; quarter	la région; la contrée; le quartier
in der Gegend von	*near, close to*	*aux environs de*
'gegeneinander → miteinander	against each other/ one another	l'un contre l'autre
der 'Gegenstand s/ä-e	object; subject	l'objet *m;* le sujet
das 'Gegenteil s	contrary, opposite	le contraire, l'opposé
im Gegenteil	*on the contrary*	*au contraire*
gegen'über	opposite, facing	vis-à-vis, en face de
gerade gegenüber	*just over the way*	*juste en face*
mir gegenüber	*facing / opposite me*	*vis-à-vis de moi*
die 'Gegenwart	presence	la présence
in Gegenwart von	*in the presence of*	*en présence de*
'gegenwärtig	at present	à présent
der 'Gegner s/- → Freund	adversary, enemy	l'adversaire *m,* l'ennemi *m*
Geh! → Halt!	Go	Passez! [paye
das Ge'halt s/ä-er	salary; pay	le traitement; la
das Monatsgehalt	*monthly salary/pay*	*le traitement mensuel*

ge'heim	secret	secret,ète
das Geheimnis	*secret*	*le secret*
geheimnisvoll	*mysterious*	*mystérieux,se*
'gehen i-a	to go, to walk	aller, marcher
wie geht es Ihnen?	*how are you?*	*comment allez-vous?*
es geht mir gut	*I am well; I am doing well*	*je vais bien; ça va bien, merci*
es geht mir besser	*I am better; I feel better*	*je vais mieux; je me porte mieux*
wie geht's?	*how are you?*	*comment ça va?*
es wird schon gehen	*it will be all right*	*ça ira*
es geht (dar)um	*it's a matter/ question (of)*	*il s'agit (de) [possible*
das geht nicht	*it can't be done*	*cela n'est pas*
das geht Sie nichts an	*that's none of your business*	*cela ne vous regarde pas [tranquille!*
laß mich gehen!	*leave me alone*	*laisse-moi*
ge'horchen	to obey	obéir
ge'hören (zu)	to belong (to); to form part of	appartenir (à); faire partie de
das gehört mir	*that's mine*	*c'est à moi*
es gehört sich	*it's proper*	*il convient*
das gehört sich nicht	*it's not done*	*cela ne se fait pas*
der Geist es	mind	l'esprit *m*
die Geistesgegenwart	*presence of mind*	*la présence d'esprit*
geistig	*intellectual, mental; spiritual*	*intellectuel,le, mental; spirituel,le*
gelb	yellow	jaune [monnaie
das Geld es/er	money; change	l'argent *m;* la
Geld verdienen	*to make money*	*gagner de l'argent*
Geld verlieren	*to lose money*	*perdre de l'argent*
ich habe kein Geld bei mir	*I've no money about me*	*je n'ai pas d'argent sur moi*
das kostet viel Geld	*that will cost a lot (of money)*	*cela coûte cher*
das Geldstück	*coin*	*la pièce de monnaie*
die Ge'legenheit /en	occasion, opportunity; chance	l'occasion *f;* la chance
bei Gelegenheit	*on occasion*	*à l'occasion*
bei dieser Gelegenheit	*on that occasion*	*à cette occasion*
die Gelegenheit ergreifen/verpassen	*to seize/miss the opportunity*	*saisir/manquer l'occasion*
gelegentlich	*sometime or other*	*à l'occasion, parfois*

ge'lehrt	learned	savant
ge'lingen a-u	to succeed, to be successful	réussir
→ mißlingen		
es ist mir gelungen (zu)	*I have succeeded (in)*	*j'ai réussi, je suis arrivé (à)*
'gelten a-o/i	to be worth; to pass	valoir; passer pour
das gilt nicht	*that doesn't count*	*cela ne compte pas*
ge'mein	common; vulgar, base	commun; vulgaire, bas,se
das Ge'müse s/ Gemüsesorten	vegetable(s)	le(s) légume(s) m
ge'mütlich	sociable, easy-going, comfortable	agréable, confortable
→ ungemütlich		
hier ist es gemütlich	*here you may feel at home*	*on est bien ici [repos*
die gemütliche Ecke	*cosy corner*	*le coin relax/de*
in aller Gemütlichkeit	*leisurely*	*en toute tranquillité*
ge'nau	just, exact, exactly, accurate(ly)	juste, exact(ement) précis(ément)
→ ungefähr		
die genaue Zeit	*the right time*	*l'heure f exacte*
die Uhr geht genau	*this watch keeps good time*	*la montre est à l'heure*
es ist genau 3 Uhr	*it's 3 o'clock sharp*	*il est 3 heures juste*
genau ein Pfund	*exactly one pound*	*juste une livre*
genaugenommen	*strictly speaking*	*strictement parlant*
ge'nießen o-o	to enjoy	jouir de
ge'nommen (part perf v. nehmen)		
der Ge'nosse n/n	comrade	le camarade
der Zeitgenosse	*contemporary*	*le contemporain*
ge'nug	enough	assez
Geld genug	*money enough*	*assez d'argent*
genug!	*enough!, that will do!*	*assez!, cela suffit!*
ge'nügen	to be enough	suffire
das genügt	*that will do*	*cela suffit*
ge'öffnet	open	ouvert
→ geschlossen		
das Ge'päck s/ Gepäckstücke	luggage, baggage am	les bagages m pl
das Gepäck aufgeben	*to register o's luggage*	*faire enregistrer ses bagages*
der Gepäckträger	*porter; carrier*	*le porteur; le porte-bagages*

ge'rade → krumm	straight	droit
eine gerade Linie	a straight line	une ligne droite
geradeaus	straight ahead	tout droit
gehen Sie geradeaus	keep straight on	allez tout droit
ge'rade	just, directly, precisely, just now	justement, directement, précisément, tout à l'heure
es ist gerade 10 Uhr	it's just 10 (o'clock)	il est 10 heures précises
er ist gerade fort	he has just left	il vient de sortir
ich wollte gerade weggehen	I was just about to leave	j'allais sortir
gerade gegenüber	just opposite	juste en face
das Ge'rät es/e	tool; apparatus, set	l'outil m; l'appareil m; le poste
dieses Gerät dient zum ...	this gadget is good for ...	cet appareil sert à ...
das Ge'räusch es/e	noise	le bruit
ein leises Geräusch	a slight noise	un bruit léger
beim leisesten Geräusch	at the slightest noise	au moindre bruit
ge'recht → ungerecht	just	juste
eine gerechte Sache	a just cause	une bonne cause
eine gerechte Strafe	a well-deserved punishment	une punition justifiée
die Gerechtigkeit	justice	la justice
das Ge'richt s/e	court; dish	la cour/le tribunal; le plat
ge'ring	little, small; low; of inferior quality	petit; bas,se; de peu de valeur
nicht im geringsten	not in the (very) least	pas le moins du monde
nicht die geringste Ahnung	not the faintest idea	pas la moindre idée
gern / lieber / am liebsten	gladly, with pleasure	volontiers, avec plaisir
herzlich gern	with great pleasure	de bon cœur, très volontiers
gern geschehen!	don't mention it	pas de quoi!
gern haben	to be fond of, to like/love	aimer
ich möchte gern	I'd like to	j'ai envie de

ich möchte gern wissen	*I wonder*	*je voudrais bien savoir*
gern etw tun	*to like doing s.th.*	*aimer faire qc*
der Ge'ruch s/ü-e	smell	l'odeur *f*
ein angenehmer Geruch	*a pleasant smell*	*une odeur agréable*
ein übler Geruch	*a bad smell*	*une mauvaise odeur*
der Ge'sang s/ä-e	song	le chant
das Ge'schäft s/e	shop; business	le magasin; l'affaire *f*
Geschäfte machen	*to do business*	*faire des affaires*
ein gutes Geschäft	*a good bargain*	*une bonne affaire*
ein Geschäftsmann	*a business-man*	*un homme d'affaires*
die Geschäftszeit	*hours of business*	*les heures d'ouverture*
ge'schehen a-e/ie	to happen, to come about	arriver, se passer, se produire
was ist geschehen?	*what has happened?*	*qu'est-ce qui est arrivé?, que s'est-il passé?*
gern geschehen!	*don't mention it*	*pas de quoi! [passé]*
geschieht ihm recht!	*serves him right!*	*il l'a voulu!*
es ist ein Unglück geschehen	*there has been an accident*	*un accident est arrivé*
das Ge'schenk s/e	gift, present	le cadeau, le présent
die Ge'schichte	history; story	l'histoire *f*; le conte
die Geschichte Deutschlands	*the history of Germany*	*l'histoire de l'Allemagne*
eine Geschichte erzählen	*to tell a story*	*raconter une histoire*
eine schöne Geschichte!	*a pretty mess!*	*la belle affaire!*
ge'schickt	handy, clever, skilful	adroit, habile
ge'schlossen (part perf v. schließen) → geöffnet		
der Ge'schmack s	taste	le goût
das ist nicht nach meinem Geschmack	*that's not to my taste*	*ce n'est pas de mon goût*
geschmackvoll	*in good taste*	*de bon goût*
ge'schrieben (part perf v. schreiben)		
die Ge'schwindig-keit /en	speed	la vitesse
mit Höchst-geschwindigkeit	*at full speed*	*à toute vitesse*

mit einer Geschwindigkeit von ...	*at a speed of ...*	*à la vitesse de ...*
die Ge'sellschaft /en	society; company	la société; la compagnie
in guter Gesellschaft	*in good company*	*en bonne compagnie*
eine Gesellschaft geben	*to give a party*	*donner une soirée*
jdm Gesellschaft leisten	*to keep s.o. company*	*tenir compagnie à qn*
das Ge'setz es/e	law	la loi
das Ge'sicht s/er	face	la figure, le visage
zu Gesicht bekommen	*to catch sight of*	*apercevoir*
aus dem Gesicht verlieren	*to lose sight of*	*perdre de vue*
ins Gesicht sehen	*to look in the face*	*regarder en face*
ein schiefes Gesicht machen	*to make a face*	*faire la tête*
das Ge'spräch s/e	conversation, talk	la conversation, l'entretien *m*
ein Gespräch beginnen	*to enter into a conversation*	*engager une conversation*
ein Gespräch führen (mit)	*to have a talk (with)*	*s'entretenir (avec)*
das Ortsgespräch	*local call*	*la communication urbaine*
das Ferngespräch	*trunk call*	*la communication interurbaine*
ge'sprochen (part perf v. sprechen)		
die Ge'stalt /en	form, shape; figure	la forme, la figure; la taille
in Gestalt von	*in the shape of*	*sous forme de*
Gestalt annehmen	*to take shape*	*prendre forme*
gestalten	*to form, to shape*	*former*
ge'stehen a-a	to admit, to confess	avouer
offen gestanden	*to tell the truth*	*à dire vrai, à vrai dire*
'gestern	yesterday	hier
vorgestern	*the day before yesterday*	*avant-hier*
gestern früh	*yesterday morning*	*hier matin*
gestern abend	*last night*	*hier soir*
ge'storben (part perf v. sterben)	died, dead	mort

ge'sund → krank	healthy, in good health, well, sound	sain, en bonne santé, bien portant
gesund sein	to be in good health	être en bonne santé
gesund werden	to recover	guérir
wieder gesund	recovered	guéri
die gesunde Nahrung	wholesome food	la nourriture saine
der gesunde Menschenverstand	common sense	le bon sens
die Gesundheit	health	la santé
ge'tan (part perf v. tun)		
das Ge'tränk s/e	drink	la boisson
das Ge'treide s/ Getreidearten	cereals *pl*, corn/ grain	les céréales *f pl*, le blé
ge'währen → fordern	to grant	accorder
die Ge'walt /en	power, force	le pouvoir, la force, la puissance
mit Gewalt	by force	de force
gewaltig	powerful	fort, puissant
ge'wandt	skilful	adroit
die Gewandtheit	skill	l'adresse f
das Ge'wehr s/e	gun	le fusil
das Gewehr laden	to load the gun	charger le fusil
mit dem Gewehr schießen	to shoot	tirer un coup de fusil
ge'wesen (part perf v. sein)		
das Ge'wicht s/e	weight	le poids
ins Gewicht fallen	to be of importance	avoir de l'importance f
der Ge'winn s/e	gain, profit	le gain, le profit
mit Gewinn verkaufen	to sell at a profit	vendre avec bénéfice
ge'winnen a-o	to gain, to win	gagner
Zeit gewinnen	to gain time	gagner du temps
5:2 (fünf zu zwei) gewinnen	to win by 5 goals to 2	gagner par 5 buts à 2
den Lauf gewinnen	to win the race	gagner la course
Kohle gewinnen	to extract coal	extraire du charbon
ge'wiß → ungewiß	certain, sure; certainly, surely	certain, sûr; certainement, sûrement
gewisse Leute	certain people	certaines gens
ich bin meiner Sache gewiß	I am quite certain	j'en suis sûr

aber gewiß!	why certainly!	bien sûr!
ganz gewiß	sure enough, no doubt	sûrement, sans aucun doute
gewissermaßen	so to speak, as it were	pour ainsi dire, en quelque sorte
das Ge'wissen s	conscience	la conscience
ein reines Gewissen haben	to have a clear conscience	avoir la conscience tranquille
die Gewissensfreiheit	freedom of conscience	la liberté de conscience
sich ge'wöhnen (an)	to get accustomed (to)/used (to)	s'accoutumer (à), s'habituer (à)
gewöhnt sein (zu)	to be used (to)	avoir l'habitude (de)
die Ge'wohnheit /en	habit, custom	l'habitude f, la coutume
aus Gewohnheit	from habit	par habitude
die Gewohnheit haben (zu)	to be in the habit (of)	avoir l'habitude (de)
ge'wöhnlich	general, usual;	habituel,le;
→ außergewöhnlich	generally	d'habitude
wie gewöhnlich	as usual	comme d'habitude
ge'worden (part perf v. werden)		
gib, gibt (imp, 3. pers sg präs v. geben)		
es gibt	there is/are	il y a, il est, il existe
'gießen o-o	to pour; to water	verser; arroser
in ein Glas gießen	to pour into a glass	verser dans un verre
die Blumen gießen	to water the flowers	arroser les fleurs
es gießt (in Strömen)	it's pouring (with rain)	il pleut à verse
vollgießen	to fill (up)	remplir
das Gift es/e	poison	le poison
ging (1., 3. pers sg prät v. gehen)		
der 'Gipfel s/-	summit, top	le sommet
das ist der Gipfel!	that's the limit!	c'est le comble!
'glänzen	to shine	briller
glänzend	brilliant	brillant
das Glas es/ä-er	glass	le verre
Vorsicht, Glas!	Glass—with care!	Verre(s)!

aus Glas	made of glass	en verre
ein Glas Wein	a glass of wine	un verre de vin
ein Weinglas	a wine-glass	un verre à vin
aus einem Glas trinken	to drink out of a glass	boire dans un verre
glatt → rauh	smooth; polished; slippery	lisse; poli; glissant
es ist glatt gegangen	it went without a hitch	cela s'est passé sans histoires
glatt machen	to smooth; to polish	lisser; polir
der 'Glaube ns → Zweifel	faith, belief	la foi, la croyance
'glauben	to believe; to think	croire; penser
ich glaube es	I believe so	je le crois
ich glaube ihm	I believe him	je le crois
ich glaube es ihm	I believe what he says	je crois ce qu'il dit
ich glaube kein Wort davon	I don't believe a word of it	je n'en crois rien
gleich	like, same; equal; similar	égal; pareil,le; semblable
das ist mir gleich	it's all the same (to me)	cela m'est égal
		[la fois
zu gleicher Zeit	at the same time	en même temps, à
gleich alt	of the same age	du même âge
gleich groß	of the same size	de même grandeur
= ist gleich	equal(s)/are/make	égale/font
2 + 3 = 5	2 and 3 equal(s)/ are/make 5	2 et 3 égale/font 5
zwei und drei ist (gleich) fünf		
5 — 3 = 2	5 minus 3 equals 2	5 moins 3 égale/ font 2
fünf weniger drei ist (gleich) zwei		
2 x 2 = 4	2 times 2 are 4	2 fois 2 font 4
zwei mal zwei ist vier		
4 : 2 = 2	4 divided by 2 equals 2	4 divisé par 2 font 2
vier durch zwei ist zwei		
gleich	in a moment, directly, at once; alike, equally	dans un moment, tout de suite, tout à l'heure; également
gleich!	just a minute, please!	un instant!, une minute, s'il vous plaît!

(ich komme) gleich!	*(I'm) coming!*	*(je viens) tout de suite!*
ich bin gleich wieder da	*I'll be back in a minute*	*je reviens tout de suite*
gleich gegenüber	*just opposite*	*juste en face*
wie heißt er doch gleich?	*what's his name?*	*comment s'appelle-t-il déjà?*
'gleichen i-i → sich unterscheiden	to equal (to)/to be like, to resemble	égaler, ressembler (à) [pareillement
'gleichfalls	also, as well	de même, également,
danke, gleichfalls!	*thanks, the same to you!*	*merci, à vous de même!*
die 'Gleichheit → Ungleichheit	equality	l'égalité *f*
'gleichzeitig → nacheinander	at the same time	en même temps, à la fois
das Glied es/er	limb; member	le membre
die 'Glocke /n	bell	la cloche
die Glocke läuten	*to ring the bell*	*sonner la cloche*
die Glocke läutet	*the bell is ringing*	*la cloche sonne*
das Glück s → Unglück	(good) luck; chance	le bonheur; la chance [bonheur
zum Glück	*fortunately*	*heureusement, par*
Glück haben	*to be lucky*	*avoir de la chance*
kein Glück haben	*to be out of luck*	*n'avoir pas de chance*
Glück wünschen	*to wish good luck*	*souhaiter du bonheur (à)*
viel Glück!	*good luck (to you)!*	*bonne chance!*
auf gut Glück	*at random*	*au hasard, au petit bonheur*
was für ein Glück!	*what a piece/stroke of good luck!*	*quelle chance!, quel coup de bonheur!*
'glücklich → unglücklich	lucky; happy	heureux,se
glückliche Reise!	*bon voyage!*	*bon voyage!*
glücklich machen	*to make happy*	*rendre heureux*
glücklicherweise	*fortunately*	*heureusement, par*
das Gold es	gold	l'or *m* [bonheur
aus Gold, golden	*made of gold, golden*	*en or, d'or*
Gott es/ö-er	God	Dieu
ach Gott!	*Heavens!*	*ah! mon Dieu!*
Gott sei Dank!	*thank God!, fortunately!*	*Dieu merci!*
in Gottes Namen!	*for Heaven's sake!*	*eh bien, soit!*

'**graben** u-a/ä — to dig — creuser
  ein Loch graben — *to dig a hole* — *creuser un trou*
  der Graben — *ditch* — *le fossé*
der Grad es/e — degree — le degré
  es sind 20 Grad — *it's 20 degrees* — *il fait 20 degrés*
  über/unter Null — *above/below zero* — *au-dessus/au dessous de zéro*
  in einem gewissen Grade — *to a certain degree* — *à un certain degré, dans une certaine mesure*

das Gramm s/- — gram(me) — le gramme
das Gras es/ä-er — grass — l'herbe *f*
grau — grey   [(for) — gris
'**greifen** i-i — to seize, to reach — saisir
  in die Tasche greifen — *to put o's hand into o's pocket* — *mettre la main à la poche*
  unter die Arme greifen — *to give a helping hand (to)* — *donner un coup de main (à)*
die 'Grenze /n — frontier, border; limit — la frontière; la limite
  an der Grenze — *on the frontier* — *à la frontière,*
  über die Grenze fahren, die Grenze überschreiten — *to cross the frontier* — *passer la frontière, franchir la frontière*
  alles hat seine Grenzen — *there is a limit to everything* — *il y a une limite à tout*
der Griff s/e — grip; hand(le) — la poignée; le manche
  einen guten Griff tun — *to make a good choice* — *avoir la main heureuse*
  Griff ziehen! — *Pull handle!* — *Tirez la poignée!*
die 'Grippe /n — flu(e) — la grippe
  die Grippe haben — *to have got the flu(e)* — *avoir la grippe, être grippé*
grob → fein — coarse, rough — grossier, ère
  ein grober Fehler — *a bad mistake* — *une faute grave*
  grobe Worte — *strong terms* — *gros mots*
groß / größer / am größten → klein — great; large, big, tall — grand
  ganz groß! — *great!* — *énorme!, chouette!*
  gleich groß — *of the same size* — *de même taille*
  immer größer — *greater and greater* — *de plus en plus grand*
  im großen (und) ganzen — *generally speaking, on the whole* — *en général*

wie groß ist er?	*how tall is he?*	*combien mesure-t-il?*
er ist groß geworden	*he has grown*	*il a grandi*
'großartig	grand, wonderful	magnifique, grandiose
das ist ja großartig!	*it's simply grand!*	*c'est épatant!*
eine großartige Aussicht	*a grand sight*	*une vue magnifique*
die 'Größe /n	size; height	la grandeur; la taille
sie haben die gleiche Größe	*they are the same size*	*ils sont de même taille*
die 'Großmutter /ü	grandmother	la grand-mère
der Großvater	*grandfather*	*le grand-père*
'größtenteils	for the most part, mostly	pour la plupart, le plus souvent
grün	green	vert
grün (an)streichen	*to paint green*	*peindre en vert*
der Grund es/ü-e	ground; bottom; reason, cause	le terrain; le fond; la raison, la cause
der Meeresgrund	*bottom of the sea*	*le fond de la mer*
im Grunde (genommen)	*after all*	*au fond*
aus welchem Grund?	*for what reason?*	*pour quelle raison ?*
aus diesem Grund	*for this reason*	*pour cette raison, pour cela*
aus guten Gründen	*with reason*	*et pour cause*
ein triftiger Grund	*a good reason*	*une raison bien fondée*
gründen	*to found, to establish*	*fonder, établir*
der 'Grundsatz es/ä-e	principle	le principe
es sich zum Grundsatz machen	*to make it a rule*	*poser qc en principe*
die 'Gruppe /n	group	le groupe
in Gruppen pl	*in groups pl*	*en groupes pl*
in Gruppen einteilen	*to form groups*	*mettre en groupes*
der Gruß es/ü-e	greeting	le salut; la salutation
mit bestem Gruß	*sincerely yours*	*(avec mes) amitiés*
herzliche Grüße pl	*kind regards pl*	*salutations cordiales pl*
viele Grüße von mir (an)	*my kindest regards (to)*	*bien des choses pl de ma part (à)*

'grüßen	to greet	saluer
grüßen Sie ihn von mir	give him my kind regards	saluez-le de ma part
'gucken	to look, to peep	regarder
der 'Gummi s/s	gum; rubber	la gomme; le caoutchouc
der Radiergummi	india-rubber	la gomme
aus Gummi	made of rubber	en caoutchouc
'günstig → ungünstig	favourable	favorable
eine günstige Gelegenheit	favourable opportunity	une occasion exceptionnelle
gut/besser/am besten → schlecht/böse	good; well; all right	bon,ne; bien
das ist gut	that's all right	c'est bien
das ist ganz gut	that's not bad	ce n'est pas mal
schon gut!	never mind!	n'en parlons plus!
es geht mir gut	I am well	je vais bien
guten Morgen!	good morning!	bonjour!
guten Tag!	how do you do?, good morning/ afternoon/evening!	bonjour!
guten Abend!	good evening!	bonsoir!
gute Nacht!	good night!	bonne nuit!
gut riechen	to smell good	sentir bon [goût
gut schmecken	to taste good	être bon, avoir bon
auf gut deutsch	in plain English	en bon français
mach's gut!	good luck!, have a good time!, cheerio!	bonne chance!
das Gut es/ü-er	farm; property	la ferme; la propriété

H

das Haar es/e	hair	le(s) cheveu(x); le poil
sich die Haare schneiden lassen	to have o's hair cut	se faire couper les cheveux
Haarschneiden, bitte!	hair-cut, please	les cheveux, s'il vous plaît
'haben	to have (got)	avoir
ich hab's!	I have (got) it!	j'y suis!
was hast du?	what is the matter with you?	qu'est-ce que tu as?, qu'as-tu donc?

den wievielten haben wir?	what is the date?	quel jour sommes-nous?
wir haben Montag, den 26. März	it's Monday, (the)26th(of)March	nous sommes le lundi 26 mars
gern haben	to be fond of, to like	aimer
Geduld haben	to have patience	avoir de la patience
der 'Hafen s/ä	port, harbour	le port
den Hafen erreichen	to get to the port	gagner le port
der Hahn s/ä-e	cock, rooster; tap	le coq; le robinet
den Hahn zudrehen	to turn the tap off	fermer le robinet
halb	half; by halves	demi; à demi, à moitié
eine halbe Stunde	half an hour	une demi-heure
anderthalb Stunden	one hour and a half	une heure et demie
halb 10 (Uhr)	half past nine (o'clock)	neuf heures et demie
5 vor halb 10	twenty-five (minutes) past 9	neuf heures vingt-cinq (minutes)
5 nach halb 10	twenty-five to 10 (o'clock)	dix heures moins vingt-cinq(minutes), neuf heures trente-cinq (minutes)
ein halbes Jahr	half a year, six months	six mois
auf halbem Wege	halfway	à mi-chemin
eineinhalb / anderthalb	one and a half	un et demi
die 'Hälfte /n	half	la moitié
die 'Halle /n	hall	le hall, la grande salle
der Hals es/ä-e	neck; throat	le cou; la gorge
einen schlimmen Hals haben	to have a sore throat	avoir mal à la gorge
Halt!→ Geh!	Stop!	Attendez!
'halten ie-a/ä	to hold; to keep; to take; to stop	tenir; s'arrêter
eine Rede halten	to make a speech	faire un discours
Wort halten	to keep o's word	tenir parole
den Mund halten	to keep quiet, to hold o's tongue	se taire, tenir sa langue/bouche
sich rechts halten	keep to the right	prendre/tenir la droite, serrer à droite

der Zug hält nicht	the train will not stop	le train ne s'arrête pas
halten für	to take for, to think	prendre pour
es für nötig halten	to think it necessary	juger nécessaire
in der Hand halten	to hold in o's hand	tenir dans la main
die Haltestelle	stop	l'arrêt m
Halteverbot!	No waiting!	Stationnement interdit!
die 'Haltung /en	attitude	l'attitude f
der 'Hammer s/ä	hammer	le marteau
die Hand /ä-e	hand	la main
*bei der Hand	zur Hand*	at hand	à la main
mit der rechten Hand	with o's right hand	de la main droite
zur rechten Hand	on the right hand	à (main) droite
jdm die Hand drücken| geben	to shake hands (with)	serrer la main (à), donner sa main (à)
eine Handvoll	a handful (of)	une poignée (de)
der 'Handel s	trade, commerce	le commerce
Handel treiben (mit)	to deal (in)	faire le commerce(de)
handeln	to trade; to act; to bargain	faire du commerce; agir; marchander
es handelt sich (um)	it is a question/ matter (of)	il s'agit (de), il est question (de)
worum handelt es sich?	what is the question?, what's it about?	de quoi s'agit-il?
die 'Handlung /en	action	l'action f
der 'Handschuh s/e	glove	le gant
die Handschuhe anziehen	to put on o's gloves	mettre les gants
ein Paar Handschuhe	a pair of gloves	une paire de gants
das 'Handtuch s/ü-er	towel	la serviette
das 'Handwerk s/e	trade	le métier [métier
ein Handwerk lernen	to learn a trade	apprendre un
sein Handwerk verstehen	to know o's business	connaître son métier
der Handwerker	artisan	l'artisan m, l'ouvrier m
'hängen i-a	to hang; to be attached (to)	être (sus)pendu/ accroché; être attaché (à)
an der Decke hängen	to hang from the ceiling	être suspendu au plafond

an den Nagel hängen	to give up	abandonner
sie hängt an ihrer Mutter	she is much attached to her mother	elle est très attachée à sa mère
hart → weich	hard; firm; severe	dur; ferme; sévère
ein harter Mann	*a hard man*	*un (homme) dur*
harte Worte pl	*hard words* pl	*des paroles dures* pl
hart bleiben	*to stand firm*	*tenir bon*
'hassen	to hate	haïr
'häßlich	ugly; mean	laid; vilain
hast, hat (2., 3. pers sg präs v. haben)		
'häufig	frequent; frequently, often	fréquent; fréquemment, souvent
das Haupt es/äu-er	head; chief	la tête; le chef
die 'Hauptsache /n	essential; main thing	l'essentiel m; le principal; la chose principale
die Hauptsache ist, daß	*the point is that*	*l'important m est que*
hauptsächlich	*main(ly), chief(ly)*	*principal(ement), avant tout*
die 'Hauptstadt /ä-e	capital	la capitale
das Haus es/äu-er	house, home	la maison
nach Hause gehen	*to go home*	*rentrer (chez soi)*
nach Hause bringen	*to see home*	*ramener/reconduire à la maison*
zu Hause sein	*to be at home, to be in*	*être à la maison/ chez soi*
zu Hause lassen	*to leave at home*	*laisser à la maison*
die Hausfrau	*housewife*	*la maîtresse de maison*
der Haushalt	*household*	*le ménage*
den Haushalt führen	*to run the household*	*tenir la maison*
die Haut /äu-e	skin	la peau
*helle	dunkle Haut haben*	*to have fair/dark skin*	*avoir la peau blanche/foncée*
naß bis auf die Haut	*soaked to the skin*	*trempé jusqu'aux os*
er ist nur Haut und Knochen	*he is nothing but skin and bones*	*il n'a que la peau et les os*
'heben o-o	to lift, to raise	lever, soulever
die Hand heben	*to raise o's hand*	*lever la main*
sich heben und senken	*to rise and fall*	*monter et descendre*

das Heer es/e	army	l'armée *f* (de terre)
das Heft es/e	exercise-book	le cahier
in ein Heft schreiben	*to write into an exercise-book*	*écrire dans un cahier*
'heftig → sanft	violent, hard	violent, fort
heftig werden	*to get into a temper*	*s'emporter*
heftig weinen	*to cry bitterly*	*pleurer à chaudes [larmes*
'heilen	to cure; to heal (up)	(se) guérir
'heilig	holy; sacred	saint; sacré
der Heilige Abend	*Christmas Eve*	*la veille de Noël*
das Heim s/e	home	le chez-soi, le foyer
heim	*home*	*à la maison, chez soi*
die 'Heimat → Fremde	home; native country	le pays (natal); la patrie
'heimkehren / heimkommen	to come (back) home	rentrer (chez soi)
'heiraten	to marry; to get married	épouser; se marier [d'amour
aus Liebe heiraten	*to marry for love*	*faire un mariage*
die Heirat	*marriage*	*le mariage*
verheiratet	*married*	*marié*
heiß → kalt	hot	chaud
es ist heiß	*it is hot*	*il fait chaud*
mir ist heiß	*I feel hot, I am hot*	*j'ai chaud*
ist das heiß!	*how hot it is!*	*qu'il fait chaud!, c'est chaud!*
kochend heiß	*boiling hot*	*bouillant*
'heißen ie-ei	to be called; to mean	s'appeler; signifier
wie heißen Sie?	*what's your name?*	*comment vous appelez-vous?*
wie heißt der Ort?	*what's the name of this place?*	*quel est le nom de cet endroit?*
wie heißt das auf deutsch?	*what is that in German?*	*comment cela se dit-il en allemand?*
das heißt (d.h.)	*that is, i.e.(=id est)*	*c'est-à-dire, c.-à-d.*
es heißt	*they say*	*on dit*
was soll das heißen?	*what is the meaning of (all) that?*	*qu'est-ce que cela veut dire?, qu'est-ce que cela signifie?*
'heiter → ernst / finster	clear; gay, cheerful	clair; gai, enjoué
'heizen	to heat; to make a fire	chauffer; faire du feu

die Heizung	*heating*	*le chauffage*
helfen a-o/i	to help; to serve	aider; servir
es hilft nichts	*it's no good*	*cela ne sert à rien*
er weiß sich zu helfen	*he can look after himself*	*il sait se débrouiller*
hell → dunkel / finster	clear, bright, light	clair, éclairé
es ist hell	*it is (quite) light*	*il fait jour*
es wird hell	*it's beginning to dawn*	*il commence à faire jour*
hellblau	*light blue*	*bleu clair*
seine helle Freude haben (an)	*to be (more than) delighted at*	*avoir grand plaisir (à)*
das Hemd es/en	shirt	la chemise
das Hemd ausziehen	*to take off o's shirt*	*enlever sa chemise*
ein frisches Hemd anziehen	*to change o's shirt*	*changer de chemise*
her → hin	here	ici, par ici
komm her!	*come here*	*viens (ici)!*
wie lange ist es her?	*how long ago is it?*	*combien de temps cela fait-il?*
wo sind Sie her?	*where do you come from?*	*d'où êtes-vous?*
wo haben Sie das her?	*where did you get that (from)?*	*où avez-vous pris cela?*
(he)'rauf → hinunter	up(wards)	en haut
(he)'raus → hinein	out	(en) dehors
raus!	*get out!*	*sortez!*
hier heraus	*this way out*	*par ici*
herausnehmen (aus)	*to take out (of)*	*retirer, sortir (de)*
der Herbst es/e	autumn, fall *am*	l'automne *m*
im Herbst	*in autumn*	*en automne*
der Herd es/e	stove	le fourneau
der Elektroherd	*electric cooker*	*le fourneau/la cuisinière électrique*
der Gasherd	*gas-stove*	*le fourneau/la cuisinière à gaz*
(he)'rein! → hinaus!	come in!	entrez!
hier herein!	*this way, please!*	*entrez par ici!*
he'rein|kommen → hinaus|gehen	to come in(to)	entrer
der Herr n/en	gentleman; master	le monsieur; le maître
mein Herr!	*sir!*	*monsieur!*
meine Herren!	*gentlemen!*	*messieurs!*

(für) Herren	(for) Men; Gentlemen('s lavatory)	Hommes
Herr X	Mr X	Monsieur/M. X
(Sehr) geehrter Herr X!	Dear Sir,; Dear Mr X,	(Cher) Monsieur,
Herr Doktor	doctor	docteur
'herrlich	grand, wonderful, glorious	magnifique, splendide
'herrschen → dienen	to rule	régner
es herrscht Stille	silence reigns	le silence règne
'her|stellen	to produce; to turn out	produire; fabriquer
die Herstellung	production; output	la production, la fabrication
he'rum	about	autour
rings herum	round about	tout autour
um die Ecke herum	round the corner	au coin (de la rue)
(he)'runter → hinauf	down	en bas; à bas
herunter!	down you go!	descendez!
komm herunter!	come down!	descends!
her'vorragend	excellent	excellent
das Herz ens/en	heart	le cœur
von Herzen gern	with the greatest (of) pleasure	de bon cœur
von ganzem Herzen	with all my heart	de tout mon cœur
schweren Herzens	with a heavy heart	le cœur gros
es liegt mir am Herzen	I have it at heart	cela me tient à cœur
'herzlich	cordial, affectionate	cordial, affectueux,se
herzlich gern	gladly, with pleasure, willingly	très volontiers, de bon cœur
herzliche Grüße pl	kind regards pl	salutations cordiales pl
'heute	today, this day	aujourd'hui
heute morgen	this morning	ce matin
heute vormittag	this morning	ce matin
heute mittag	at noon today	ce midi
heute nachmittag	this afternoon/ evening	cet après-midi
heute abend	this evening, tonight	ce soir
heute nacht	tonight	cette nuit

noch heute	this very day	aujourd'hui même
bis heute	till today, to date	jusqu'aujourd'hui
von heute an	from this day	à partir d'aujourd'hui
heute in 8 Tagen	today/this day week	aujourd'hui en huit
heute vor 8 Tagen	a week ago	il y a huit jours
welchen (Tag) haben wir heute?	what day is it today?	quel jour sommes-nous aujourd'hui?
heute haben wir den 26.	today is the 26th	aujourd'hui, nous sommes le 26
heute ist Sonntag, der 26. März	today is Sunday, the 26th of March	aujourd'hui, c'est le dimanche 26 mars
'heutzutage	nowadays, these days	de nos jours, aujourd'hui
hielt (1., 3. pers sg prät v. halten)		
hier → dort	here	ici
hier und dort	here and there	çà et là
hier!	present!, here!	présent!
hier bin ich	here I am	me voici
'hierauf	after this, then	après cela, ensuite
'hierher → dorthin	here, this way, over here	ici, par ici
(komm) hierher!	come here	viens ici!
hier herein, bitte!	this way in, please [tance	par ici, s'il vous plaît!
die 'Hilfe /n	help, relief, assis-	le secours, l'aide f
Hilfe!	help! help!	au secours!
die erste Hilfe	first aid	les premiers soins pl
um Hilfe rufen	to call for help	appeler au secours
zu Hilfe eilen	to rush to aid	venir au secours (de)
der 'Himmel s/-	sky; heaven(s)	le ciel
unter freiem Himmel	in the open air	en plein air
um Himmels willen!	dear me!, good heavens!	au nom du ciel!
am Himmel	in the sky	dans le ciel
hin → her	there	là, y
hin und wieder	every now and then, at times	de temps en temps, parfois
hin und her	to and fro	de côté et d'autre
(eine Fahrkarte) hin und zurück, Rückfahrkarte	(a) return (ticket)	un (billet) aller (et) retour

hi'nauf → herunter | upward(s) | en haut, en montant
die Treppe hinauf | *upstairs* | *en montant l'escalier*

hi'naus → herein | out   [go! | dehors
hinaus! | *(get) out!, out you* | *sortez!, hors d'ici!*
worauf wollen Sie hinaus? | *what are you driving at?* | *où voulez-vous en venir?*

hi'naus|gehen i-a | to go out, to leave | sortir

'hindern | to check, to prevent (from) | empêcher, gêner

hin'durch | through; during | à travers; pendant
den ganzen Tag hindurch | *all day (long)* | *tout le long du jour*
das ganze Jahr hindurch | *all the year round* | *pendant toute l'année f*

hi'nein → heraus | in, into | (là-)dedans

'hin|fallen ie-a/ä | to fall (down) | tomber (par terre)
der Länge nach hinfallen | *to come down full length* | *tomber tout de son long*

'hin|legen | to lay/put down | mettre, poser
sich hinlegen | *to lie down   [am* | *se coucher*

'hinten → vorn | behind, in (the) back | derrière; en arrière
nach hinten | *backward(s)* | *en/à l'arrière*

'hintereinander → nebeneinander | one after another | l'un derrière/après l'autre, de suite

'hinterher → vorher | behind; after(wards) | après (coup)

hi'nunter → herauf | down(stairs) | en bas; en descendant
hinuntergehen | *to go down(stairs)* | *descendre*

hin'zu|fügen | to add | ajouter

die 'Hitze → Kälte | heat | la (grande) chaleur
hitzebeständig | *heat-resistant* | *résistant à la chaleur*

hoch / höher / am höchsten → tief, niedrig | high; tall | haut; élevé; de haute taille
3 Meter hoch sein | *to be 3 metres high/ in height* | *être haut de 3 mètres, avoir 3 mètres de haut*
Kopf hoch! | *cheer up!* | *courage!*
hochachtungsvoll | *yours faithfully, yours sincerely* | *avec l'expression de mes sentiments distingués*
hochheben | *to raise* | *lever*

höchst	extremely	extrêmement
höchst gefährlich	*most dangerous*	*extrêmement dangereux*
'höchstens → minde-stens / wenigstens	at (the) most	tout au plus
der Hof es/ö-e	court	la cour
auf dem Hof	*in the court(yard)*	*dans la cour*
'hoffen	to hope	espérer
ich hoffe es	*I hope so*	*je l'espère*
'hoffentlich	it is to be hoped; I hope, let's hope	il faut espérer (que); j'espère, espérons
die 'Hoffnung /en	hope	l'espérance *f*, l'espoir *m*
in der Hoffnung	*hoping (to)*	*dans l'espoir (de)*
'höflich → unhöflich	polite	poli
die 'Höhe /n → Tiefe	height	la hauteur
in die Höhe werfen	*to throw up*	*jeter en l'air* m
das ist die Höhe!	*that's the limit!*	*c'est le comble!*
hohl	hollow	creux,se
ein hohler Baum	*a hollow tree*	*un arbre creux*
die hohle Hand	*the hollow of o's hand*	*le creux de la main*
'holen → bringen	to call, to fetch	aller chercher
holen lassen	*to send for*	*envoyer chercher*
holen Sie den Arzt!	*call in the doctor*	*allez chercher le médecin!*
das Holz es/ö-er	wood, timber	le bois
aus Holz	*(made) of wood*	*en bois*
Holz hacken	*to chop wood*	*fendre du bois*
ein Stück Holz	*a piece of wood*	*un morceau de bois*
der 'Honig s	honey	le miel
'hören	to hear; to listen	entendre; écouter
hören Sie mal!	*I say*	*dites donc!, attendez!*
hören Sie mal zu!	*(just) listen!*	*écoutez (donc)!*
ich höre (zu)	*I am listening*	*j'écoute, je suis à l'écoute* f
er will nicht hören	*he won't listen*	*il ne veut pas écouter [(que)*
ich habe gehört (, daß)	*I hear (that)*	*j'ai entendu dire*
eine Vorlesung hören	*to attend a course/ lecture*	*suivre un cours*
von sich hören lassen	*to send word, to let know*	*donner de ses nouvelles*

der 'Hörer s/-	listener; receiver	l'auditeur *m*; récep-
den Hörer abnehmen/ auflegen	*to lift/replace the receiver*	décrocher/ [teur raccrocher le récepteur
der 'Hörfunk s	sound; radio	la radio
die 'Hose(n) (pl)	trousers, pants *pl*	le pantalon, la culotte
eine Hose	*a pair of trousers*	*un pantalon, une culotte*
Hosen tragen	*to wear trousers*	*porter un pantalon*
die Hosen anhaben	*to wear the breeches*	*porter la culotte*
das Ho'tel s/s	hotel	l'hôtel *m*
im Hotel übernachten	*to stay at the hotel*	*coucher à l'hôtel*
hübsch → häßlich	pretty, nice; fine	joli; beau (bel), belle
eine hübsche Ge- schichte!	*a pretty mess!*	*c'est du joli!*
das ist hübsch von dir	*it is nice of you*	*c'est gentil à toi*
der 'Hügel s/-	hill	la colline
das Huhn s/ü-er	hen, chicken	la poule, le poulet
der Hund es/e	dog	le chien
Vorsicht! Bissiger Hund!	*Beware of the dog!*	*Chien méchant!*
Hunde an der Leine führen!	*Keep your dog on the lead!*	*Tenez votre chien en laisse!*
Mit Hunden kein Zutritt!	*Dogs are not admitted!*	*Interdit aux chiens!*
hundert	a/one hundred	cent
etwa hundert	*about a hundred*	*une centaine*
Hunderte (von)	*hundreds (of)*	*des centaines (de)*
zu Hunderten	*by the hundred*	*par centaines*
der 'Hunger s	hunger	la faim
ich habe Hunger	*I am hungry*	*j'ai faim*
ich habe keinen Hunger	*I am not hungry*	*je n'ai pas faim*
'hungrig → satt	hungry	qui a faim, affamé
ich bin hungrig	*I am hungry*	*j'ai faim*
'husten	to cough	tousser
den Husten haben	*to have a (bad) cough*	*tousser*
der Hut s/ü-e	hat	le chapeau
einen Hut tragen	*to wear a hat*	*porter un chapeau*
den Hut aufsetzen	*to put on o's hat*	*mettre son chapeau, se couvrir*

den Hut abnehmen	*to take off o's hat*	*enlever son chapeau*
Hut ab!	*hats off!*	*chapeau (bas)!*
sich 'hüten (vor)	to guard (against), to look out (for)	se garder, prendre garde (de)
die 'Hütte /n	cottage	la cabane
die Eisenhütte	*iron-/steelworks*	*la fonderie*

I ✗

ich selbst	I myself	moi-même
ich bin's	*it's me*	*c'est moi*
hier bin ich	*here I am*	*me voici*
ich bin dran	*it's my turn*	*c'est à moi*
ide'al	ideal	idéal
das Ide'al s/e	ideal	l'idéal *m*
die I'dee /n	idea	l'idée *f*
das ist eine (gute) Idee	*that's an (a good) idea*	*c'est une (bonne) idée*
'immer → nie	always	toujours
immer wieder	*over and over again*	*sans cesse, constamment*
immer besser	*better and better*	*de mieux en mieux*
immer schlechter	*worse and worse, from bad to worse*	*de plus en plus mal, de mal en pis*
immer größer	*bigger and bigger, ever bigger*	*de plus en plus grand*
immer noch	*still*	*toujours, encore*
immer'hin	after all	tout de même
die Indu'strie /n	industry	l'industrie *f*
die Eisenindustrie	*iron industry*	*l'industrie du fer*
die Elektroindustrie	*electrical industry*	*l'industrie électrique*
industriell	*industrial*	*industriel,le*
der Inge'nieur s/e	engineer	l'ingénieur *m*
der 'Inhalt s/e	contents	le contenu
das Inhaltsver- zeichnis	*table of contents*	*la table des matières*
'innen → außen	within, inside	(au-)dedans, à l'intérieur
'innere → äußere	inner	intérieur
das Innere	*interior, inside*	*l'intérieur* m
im Innern	*within, inside*	*à l'intérieur*
das In'sekt s/en	insect	l'insecte *m*

die 'Insel /n	island; isle	l'île f
auf einer Insel	*on an island*	*dans une île*
das Instru'ment es/e	instrument	l'instrument m
ein Instrument spielen	*to play an instrument*	*jouer d'un instrument*
interes'sant	interesting	intéressant
wie interessant!	*how interesting!*	*que c'est intéressant!*
das Inter'esse s/n	interest	l'intérêt m
Interesse haben (an, für)	*to take an interest (in), to be interested in*	*s'intéresser (à)*
ich habe (kein) Interesse (dafür)	*I am (not) interested in it*	*je (ne) m'y intéresse (pas)*
es liegt in deinem Interesse	*it's (to/in) your (own) interest*	*c'est dans ton intérêt, il est de ton intérêt (de)*
sich interes'sieren (für)	to be interested (in)	s'intéresser (à)
in'zwischen	meanwhile, (in the) meantime	en attendant, entre temps
'irgendein (Buch)	some/any (book)	quelque/n'importe quel (livre)
irgend etwas	*something/anything*	*n'importe quoi*
irgend jemand	*somebody/anybody*	*n'importe qui, quelqu'un*
irgendwie	*somehow/anyhow (or other)*	*n'importe comment*
irgendwo(hin)	*somewhere/anywhere*	*n'importe où, quelque part*
'irren, sich irren	to make a mistake	faire une erreur
sich im Weg irren	*to go the wrong way*	*se tromper de chemin*
wenn ich (mich) nicht irre	*if I'm not mistaken*	*si je ne me trompe*
da irren Sie sich	*there you are mistaken*	*vous vous trompez*
der 'Irrtum s/ü-er	error, mistake	l'erreur f
im Irrtum sein	*to be mistaken/wrong*	*être dans l'erreur*
ist (3. pers sg präs v. sein)		
I'talien s	Italy	l'Italie f

J X

ja → nein	yes	oui; si
ja, gern	*yes, I'd like to, thank you* [*deed!*]	*oui, je veux bien, merci*
ja doch!, aber ja!	*why, yes!, yes, in-*	*mais oui!, mais si!*
die 'Jacke /n	jacket	la veste, le veston
die Jagd /en	hunting/shooting	la chasse
Jagd machen (auf)	*to hunt (for)*	*faire la chasse (à)*
auf die Jagd gehen	*to go hunting/ shooting*	*aller à la chasse* [*chasse*
'jagen	to hunt; to chase	chasser, faire la
der 'Jäger s/-	hunter	le chasseur
das Jahr es/e	year	l'an *m*, l'année *f*
im Jahre	*in (the year)*	*en*
dieses Jahr	*this year*	*cette année*
nächstes Jahr	*next year*	*l'année prochaine*
voriges Jahr	*last year*	*l'année passée*
alle Jahre	*every year*	*tous les ans*
vor einem Jahr	*a year ago*	*il y a un an*
ein halbes Jahr	*half a year, six months*	*six mois*
einmal im Jahr	*once a year*	*une fois par an*
3 Jahre jünger	*3 years younger*	*plus jeune de 3 ans*
sie ist 20 (Jahre)	*she is 20 (years old)*	*elle a 20 ans*
mit 20 Jahren	*at the age of 20*	*à l'âge de 20 ans*
die 'Jahreszeit /en	season	la saison
das Jahr'hundert s/e	century	le siècle
-jährig : 'zehnjährig	10 years old, lasting 10 years	de 10 ans
'jährlich	yearly, every year	par an
einmal jährlich	*once a year*	*une fois par an*
'je(mals) → nie	ever	jamais
hat man je so was gesehen?	*did you ever see such a thing?*	*a-t-on jamais vu chose pareille?*
je ... 'desto	the ... the	plus ... plus
je mehr man hat, desto mehr man will	*the more we have, the more we want*	*plus on a, plus on veut avoir*
'jedenfalls	in any case	en tout cas
'jeder → keiner	every/each; every- body/anybody	chaque; chacun
ohne jeden Zweifel	*without any doubt*	*sans aucun doute*
'jedermann → niemand	everybody, anybody	tout le monde, chacun

'jedesmal → keinmal	every/each time	chaque fois
jedesmal, wenn	*whenever*	*toutes les fois que*
je'doch/aber	yet, however	cependant, toutefois
'jemand → niemand	somebody/anybody	quelqu'un
jemand anders	*someone else*	*quelqu'un d'autre*
(ist) jemand hier?	*(is) anybody there?*	*y a-t-il quelqu'un par ici?*
ohne jemand(en) zu sehen	*without seeing anybody*	*sans voir personne*
'jene(r,s)	that; that one	ce(t/cette) . . . -là; celui/celle-là
'jenseits	on the other side	de l'autre côté
jetzt	now, at present	maintenant, à présent
bis jetzt	*up to now, as yet*	*jusqu'ici*
von jetzt (an)	*from now on*	*dès maintenant*
eben jetzt	*just now, this very instant*	*à l'instant (même)*
die 'Jugend → Alter	youth, young people	la jeunesse, les jeunes gens
von Jugend auf	*from o's youth, from youth upwards*	*de jeunesse, dès sa jeunesse*
die Jugendherberge	*youth hostel*	*l'auberge de la jeunesse*
jung/jünger/am jüngsten → alt	young	jeune
die jungen Leute pl	*young people* pl	*les jeunes gens* pl
er ist 5 Jahre jünger als ich	*he is 5 years younger than me/I*	*il a 5 ans de moins que moi, il est mon cadet de 5 ans*
der 'Junge n/n	boy	le garçon
Jungens! pl	*lads!* pl	*les gars!* pl

K

der 'Kaffee s/s	coffee	le café
eine Tasse Kaffee	*a cup of coffee*	*une tasse de café*
Kaffee kochen	*to make (the) coffee*	*faire du café*
Kaffee trinken	*to have coffee; to have (afternoon) tea*	*prendre le café; goûter*
zum Kaffee(trinken) einladen	*to invite to (afternoon) tea*	*inviter au goûter*
einen Kaffee bestellen	*to order a (cup of) coffee*	*commander un café*
Milchkaffee	*white coffee* [coffee	*du café au lait*
die Kaffeekanne	*coffee-pot*	*la cafetière*

der Ka'kao s	cocoa	le cacao
kalt/kälter/am	cold	froid
kältesten → warm, heiß		
es ist kalt	*it is cold*	*il fait froid*
mir ist kalt	*I am/feel cold*	*j'ai froid*
die 'Kälte → Hitze/	cold	le froid
Wärme		
es sind 10 Grad Kälte	*it is 10 degrees below zero*	*il fait 10 degrés au-dessous de zéro*
vor Kälte zittern	*to shiver with cold*	*trembler de froid*
kam (1., 3. pers sg prät v. kommen)		
die 'Kamera /s	camera	la caméra; l'appareil *m*
der Kame'rad en/en	comrade, fellow, companion	le camarade, le compagnon
der Kamm s/ä-e	comb	le peigne
(sich) kämmen	*to comb*	*(se)peigner*
der Kampf es/ä-e	fight, struggle	le combat, la lutte
der Wettkampf	*match*	*le match*
'kämpfen	to fight, to struggle	combattre, se battre
kann (1., 3. pers sg präs v. können)		
das Kapi'tal s/ien	capital	le capital
Kapital schlagen aus	*to profit by*	*tirer profit de*
der Kapi'tän s/e	captain	le capitaine
ka'putt	broken, in pieces	cassé, abîmé, fichu
die 'Karte /n	map; card; ticket; bill of fare, menu	la carte; le billet/ ticket; le menu
die Karte von Deutschland	*the map of Germany*	*la carte d'Allemagne*
Karten spielen	*to play cards*	*jouer aux cartes*
eine Karte lösen	*to buy a ticket*	*prendre un billet*
die Kar'toffel /n	potato	la pomme de terre
der 'Käse s/-	cheese	le fromage
die 'Kasse /n	cash-box; booking/ box office	la caisse; le bureau de location
der 'Kasten s/ä	case, box	la caisse, la boîte
die 'Katze /n	cat	le chat
'kauen	to chew	mâcher
der Kauf s/äu-e	purchase; bargain	l'achat *m*
→ Verkauf		

einen guten Kauf machen	*to make a good buy*	*faire un bon achat*
'kaufen → verkaufen	to buy	acheter
der Käufer	*buyer [store*	l'acheteur m
das Kaufhaus	*stores, department*	le grand magasin
der Kaufmann	*merchant; tradesman*	le marchand, le commerçant
kaum	scarcely, hardly	à peine, ne . . . guère
'kehren / fegen	to sweep	balayer
jdm den Rücken kehren	*to turn o's back on s.o.*	*tourner le dos à qn*
'keine(r,s) → jeder	no one, none	ne . . . aucun/nul; pas un
keiner von beiden	*neither*	*aucun des deux*
keinesfalls/keineswegs	*not at all, by no means*	*nullement, en aucune façon, pas du tout*
der **'Keller** s/-	cellar, basement	la cave, le sous-sol
'kennen a-a	to know	connaître
kennenlernen	*to get to know, to meet*	*faire la connaissance (de)*
die **'Kenntnis** /sse	knowledge	la connaissance
zur Kenntnis nehmen	*to take note (of)*	*prendre connaissance (de)*
der **Kerl** s/e	fellow	le type
ein ganzer/tüchtiger Kerl	*a brick*	*un chic type*
das **'Kilo(gramm)** s/-	kilo(gram)	le kilo(gramme)
der / das **Kilo-'meter** s/-	kilometre	le kilomètre
das **Kind** es/er	child	l'enfant m
das **'Kino** s/s	cinema, movie(s) am	le cinéma
ins Kino gehen	*to go to the pictures*	*aller au cinéma*
im Kino	*at the cinema/ pictures*	*au cinéma*
die **'Kirche** /n	church	l'église f
in die Kirche gehen	*to go to church*	*aller à l'église*
in der Kirche	*at church*	*à l'église*
die **'Kirsche** /n	cherry	la cerise
die **'Klage** /n	complaint	la plainte
(sich be)klagen (über)	*to complain (of)*	*se plaindre (de)*
klar → unklar	clear, bright	clair
na, klar!	*obviously!*	*bien sûr!*

ein klarer Himmel	a clear sky	un ciel clair
klares Wasser	clear/pure water	de l'eau pure
eine klare Antwort	a plain answer	une réponse nette
das ist klar	that is understood	cela s'entend
die Klarheit	clearness	la clarté
die 'Klasse /n	class, grade am	la classe
erster Klasse	first-class	de première classe
(eine Fahrkarte) zweiter (Klasse)	second (-class ticket)	(un billet de) seconde
das Klassenzimmer	classroom	la salle de classe
'kleben	to stick, to paste	coller
Ankleben verboten!	Post no bills!	Défense d'afficher!
der Klebestreifen	adhesive tape	la bande adhésive
das Kleid es/er	dress	la robe
die Kleider pl	dresses; clothes pl	les robes; les vêtements pl
ein neues Kleid	a new dress	une robe neuve
die 'Kleidung /en; Kleidungsstücke	clothes, clothing, wear	les vêtements / habits, la toilette
klein → groß	little/small	petit
kleines Geld / Kleingeld	(small) change	de la (petite) monnaie
die Kleinen pl	the little ones pl	les petits pl
'klettern	to climb	grimper
auf einen Baum klettern	to climb (up) a tree	grimper sur un arbre
auf einen Berg klettern	to scale a mountain	escalader une montagne
die 'Klinge /n	blade	la lame
die 'Klingel /n	bell	la sonnette
klingeln	to ring the bell	sonner
es klingelt	the bell is ringing	on sonne
'klopfen	to knock	frapper
es klopft	there is a knock at the door	on frappe
an die Tür klopfen	to knock at the door	frapper à la porte
klug → dumm	clever, intelligent	intelligent
die Klugheit	cleverness, intelligence	l'intelligence f
das Knie s/-	knee	le genou
das Knie beugen	to bend o's knee	fléchir le genou
knien	to kneel	être à genoux
der 'Knochen s/-	bone	l'os m

der Knopf es/ö-e | button | le bouton
(auf) den Knopf drücken | *to press the button* | *appuyer sur le bouton*
'kochen | to boil; to cook; to do the cooking | bouillir; faire cuire; faire la cuisine
das Wasser kocht | *the water is boiling* | *l'eau f bout*
das Essen kochen | *to cook the meal* | *faire cuire le repas*
Kaffee kochen | *to make coffee* | *faire du café*
sie kocht gut | *she is a good cook* | *elle sait bien faire la cuisine*

der 'Koffer s/- | suit-case, trunk | la valise, la malle
seine Koffer packen | *to pack o's things* | *faire ses valises/*
die 'Kohle /n | coal | le charbon [sa malle
die Braunkohle | *brown coal, lignite* | *le lignite*
die Steinkohle | *hard coal* | *la houille*
der Ko'llege n/n | colleague | le collègue
'komisch → ernst | funny | drôle
ein komischer Einfall | *a funny idea* | *une drôle d'idée*
ein komischer Kerl | *a queer fellow* | *un drôle de type*
'kommen a-o → gehen | to come | venir
ich komme schon! | *(I am) coming!* | *on y va!*
es kommt vor, daß | *it happens that* | *il arrive que*
wie kommt es, daß . . .? | *how is it that . . .?* | *comment se fait-il que . . . ?*
kommen lassen | *to send for* | *faire venir*
spät kommen | *to be late* | *être en retard*
zur Sache kommen | *to come to the point* | *(en) venir au fait*
komm her! | *come here!* | *viens ici!*
kommen Sie morgen zu mir | *see me tomorrow* | *venez me voir demain*
die Konfe'renz /en | conference　[know | la conférence
'können o-o/a | to be able (to); to | pouvoir; savoir
er kann seine Aufgabe | *he knows his lesson* | *il sait sa leçon*
er kann Englisch | *he can speak English* | *il parle l'anglais*
auswendig können | *to know by heart* | *savoir par cœur*
das kann sein | *that may be (so), that's possible* | *cela se peut*

das Kon'zert s/e | concert | le concert
der Kopf es/ö-e | head | la tête
sich den Kopf zerbrechen | *to rack o's brains* | *se casser la tête*
er ist ein kluger Kopf | *he has brains [heart* | *il a de la tête*
aus dem Kopf | *from memory, by* | *par cœur*

den Kopf schütteln	*to shake o's head*	*secouer la tête*
die Kopfschmerzen pl	*headache*	*le mal de tête*
Kopfschmerzen haben	*to have (got) a headache*	*avoir mal à la tête*
das Korn s/ö-er	corn; grain	le blé; le grain
der 'Körper s/-	body	le corps
der menschliche Körper	*the human body*	*le corps humain*
der Körperteil	*part of the body*	*la partie du corps*
'kostbar → wertlos	precious	précieux,se
'kosten	to cost; to taste	coûter; goûter
viel kosten	*to be expensive*	*coûter cher*
was kostet das Buch?	*how much is this book?*	*combien coûte ce livre?*
ich koste den Wein	*I'll taste the wine*	*je vais goûter le vin*
die 'Kosten pl	cost(s)	les frais, les dépenses pl [dépenses]
auf meine Kosten	*at my cost*	*à mes frais; à mes*
die Kosten tragen	*to bear the costs*	*se charger des frais*
kostenlos	*free of charge*	*sans frais*
die Kraft /ä-e → Schwäche	force, strength, power	la force, le pouvoir
in Kraft treten	*to come into force*	*entrer en vigueur*
aus Leibeskräften	*with all my might*	*de toutes mes forces*
der 'Kraftfahrer s/-	motorist, driver	l'automobiliste m, le
'kräftig → schwach	strong	fort [chauffeur
krank / kränker → gesund	ill, sick	malade
schwer krank	*sick*	*gravement malade*
krank werden	*to fall ill*	*tomber malade*
der 'Kranke n/n	sick person; patient	le malade; le client
einen Kranken pflegen	*to nurse a patient*	*soigner un malade*
das 'Krankenhaus es/äu-er	hospital	l'hôpital m
ins Krankenhaus bringen	*to take to the hospital*	*hospitaliser*
die Krankenschwester	*nurse*	*l'infirmière f*
die 'Krankheit /en → Gesundheit	illness, sickness, disease	la maladie, le mal
sich eine Krankheit zuziehen	*to be taken ill*	*attraper une maladie*
die 'Kreide /n	chalk	la craie
der Kreis es/e	circle, ring	le cercle, le rond

im Kreise	in a circle	en cercle, en rond
im Kreise der Familie	in o's family	en famille
einen Kreis bilden	to form a circle/	former un cercle
(der) Kreisverkehr	roundabout [ring	(le) sens giratoire
das Kreuz es/e	cross	la croix
die Kreuzung	crossing	le croisement
'kriechen o-o	to creep	ramper, se traîner
der Krieg s/e	war	la guerre
→ Frieden		
im Krieg	at war	en guerre
Krieg führen (gegen)	to make war (on)	faire la guerre (à)
der Zweite Weltkrieg	World War II	la Seconde Guerre Mondiale
kriegen → geben	to get	obtenir
die Kri'tik /en	criticism	la critique
Kritik üben	to criticize	faire la critique
krumm → gerade	curved; hooked; crooked	courbe; crochu, tordu
eine krumme Linie	a curved line	une ligne courbe
ein krummer Nagel	a crooked nail	un clou tordu
die 'Küche /n	kitchen; cooking	la cuisine
der 'Kuchen s/-	cake	le gâteau
einen Kuchen backen	to make a cake	faire un gâteau
die 'Kugel /n	ball; bullet	la boule; la balle
der Kugelschreiber	ball(-point) pen	le stylo à bille
die Kuh /ü-e	cow	la vache
kühl → warm	cool	frais, fraîche; froid
es ist kühl	it is cool	il fait froid
der Kühlschrank	refrigerator	le réfrigérateur
die Kul'tur /en	culture, civilization	la culture, la civilisation
der 'Kunde n/n	customer	le client
die Kunst /ü-e	art	l'art m
die schönen Künste pl	the fine arts pl	les beaux arts pl
das ist keine Kunst	that's easy	ce n'est pas malin
der 'Künstler s/-	artist	l'artiste m
das 'Kunstwerk s/e	work of art	l'œuvre d'art f
der 'Kurs es/e	course, class	le cours
einen Kurs besuchen	to attend a course	suivre un cours
die 'Kurve /n	curve; bend, turn	la courbe; le virage
kurz → lang	short, brief	court, bref
vor kurzem	recently, a short while ago	récemment, dernièrement, il y a peu de temps

nehlich

in/binnen kurzem	*before long*	*prochainement*
kurz darauf	*shortly after*	*peu après*
kurz und gut	*in short, in a word*	*bref, en un mot*
Fasse dich kurz!	*Make it short!*	*Soyez bref!*
'kürzlich	recently	récemment
'küssen	to kiss	embrasser
die 'Küste /n	coast, shore	la côte

L

'lächeln (über)	to smile (at)	sourire (de)
lächerlich	*ridiculous*	*ridicule*
'lachen (über)	to laugh (at)	rire (de)
→ weinen		
daß ich nicht lache!	*don't make me laugh!*	*vous me faites rire!*
das ist nicht zum Lachen	*it is no joke*	*il n'y a pas de quoi rire*
der 'Laden s/ä	shop	le magasin
die 'Ladung /en	charge, load	la charge
lag (1., 3. pers sg prät liegen)		
die 'Lage /n	situation, position; location	la situation/position; l'emplacement m
in der Lage sein (zu)	*to be in a position (to)*	*être en mesure (de)*
das 'Lager s/-	couch; stock/store; camp	la couche; le magasin; le camp [stock
auf Lager	*in stock/store*	*en magasin, en*
die 'Lampe /n	lamp; light	la lampe; la torche
das Land es/ä-er	land; country	la terre; le pays; la campagne
an Land gehen	*to go ashore*	*débarquer*
auf dem Lande	*in the country*	*à la campagne*
zu Wasser und zu Lande	*by land and by sea*	*sur terre et sur mer*
die Landschaft	*landscape*	*le paysage*
die 'Landkarte /n	map	la carte géographique
die 'Landstraße /n	road	la grande route
der 'Landwirt s/e	farmer	l'agriculteur m
die 'Landwirtschaft	farming, agriculture	l'agriculture f

'landen → starten	to land, to touch down	atterrir
die Landung	landing, touch-down	l'atterrissage m
lang → kurz	long; tall [down	long, longue; grand
2 Meter lang	2 metres long	long de 2 mètres
2 Meter lang sein	to be 2 metres long	avoir 2 mètres de long
2 Jahre lang	for 2 years	durant 2 années
vor langer Zeit	long ago	il y a longtemps
seit langem	for a long time past	depuis longtemps
über kurz oder lang	sooner or later	tôt ou tard
stundenlang	for hours	des heures durant/entières
die ganze Woche (lang	all (the) week (long)	durant toute la semaine
'lange → kurz	(for) a long time	longtemps
wie lange?	how long?	combien de temps?
schon lange	a long time since	depuis longtemps
wie lange schon?	how long? [ago	depuis quand?
(es ist) lange her	(it is a) long (time)	il y a longtemps
lange brauchen (um zu)	to take (a) long (time) (to)	être long (à)
die Langspielplatte	long player, LP	le microsillon
die 'Länge/n → Kürze	length	la longueur
der Länge nach	in length	en longueur
sich in die Länge ziehen	to drag on (and on)	traîner en longueur
die Wellenlänge	wave-length	la longueur d'onde
'langsam → schnell	slow	lent
Langsamer fahren!	Slow down!	Ralentir!
immer langsam!	take it easy!	doucement!
längst	long ago/since	depuis longtemps
das langt	that'll do	cela suffit
'langweilig	boring, dull	ennuyeux,se
der 'Lappen s/-	rag	le chiffon
der Lärm s	noise [noise	le bruit
Lärm machen	to make a lot of	faire du bruit
'lassen ie-a/ä	to let; to make	laisser; faire
laß (das)!	don't!, stop it!	laisse cela!, laisse
laß mich in Ruhe! [machen	leave me alone!	laisse-moi [(donc)! tranquille!
lassen Sie mich nur	leave that to me	laissez-moi faire
holen lassen	to send for	envoyer chercher
machen lassen	to have done	faire faire

die Last /en	load	la charge
eine schwere Last tragen	*to carry a heavy load*	*porter une grosse charge*
das Lastauto, der LKW (Lastkraftwagen)	*lorry, truck*	*le camion, le poids lourd*
der Lauf s/äu-e	course; race; current; running	le cours; la course; le courant; la marche
im Laufe der Zeit	*in the course of time*	*à la longue*
im Laufe dieser Woche	*in the course of this week*	*au cours de cette semaine*
den Lauf gewinnen	*to win the race*	*gagner la course*
'laufen ie-au/äu	to run; to walk, to go	courir; marcher, aller
auf dem laufenden sein	*to be up-to-date*	*être au courant*
der Motor läuft	*the engine runs*	*le moteur tourne*
das Wasser läuft	*the water runs/flows*	*l'eau f coule*
die 'Laune /n	humour	l'humeur f
guter Laune sein	*to be in a good humour/in high spirits*	*être de bonne humeur*
laut → leise/still	loud	haut, fort
mit lauter Stimme	*in a loud voice*	*à haute voix*
laut sprechen	*to speak loud*	*parler haut/fort*
lauter!	*speak up*	*plus haut!, plus fort!*
'läuten	to ring	sonner
es läutet	*the bell is ringing*	*on sonne*
'leben → sterben	to live	vivre
leben Sie wohl!	*good-bye*	*adieu!*
das 'Leben s → Tod	life	la vie
am Leben sein	*to be alive*	*être en vie*
am Leben bleiben	*to remain alive*	*rester vivant*
ums Leben kommen	*to lose o's life*	*perdre la vie*
le'bendig	living, alive; lively	vivant; vif, vive
Lebensgefahr!	*Danger!*	*Danger de mort!*
es ist lebensgefährlich (zu)	*it is dangerous (to)*	*il y a danger de mort (à)*
die 'Lebensmittel pl	food, provisions pl	les aliments m pl
'lebhaft → ruhig	lively	vif, vive
eine lebhafte Straße	*a busy street*	*une rue animée*
das 'Leder s	leather	le cuir
aus Leder	*made of leather*	*en cuir*

'ledig → verheiratet	unmarried, single	célibataire, non marié
leer → voll	empty; vacant	vide; vacant
leeren	to empty	vider
'legen	to lay, to put, to place	mettre, poser, placer
sich (hin)legen	to lie down; to go to bed	s'allonger; se mettre au lit
die 'Lehre /n	lesson; theory; science; teaching	la leçon; la théorie; la science; la doctrine
'lehren	to teach	enseigner
Sprachen lehren	to teach languages	enseigner les langues
lesen lehren	to teach reading	apprendre à lire
der 'Lehrer s/-	teacher, master	le maître, le professeur
mein alter Lehrer	my former master	mon ancien maître
Deutschlehrer	German master	professeur d'allemand
der 'Lehrling s/e	apprentice	l'apprenti m
der Leib es/er	body; stomach	le corps; le ventre
mit Leib und Seele	(with) heart and soul	de tout son cœur, corps et âme
Leibschmerzen haben	to have a stomach-ache	avoir mal au ventre
leicht → schwer, schwierig	light; easy; slight	léger,ère; facile; petit
ein leichter Fehler	a slight mistake	une légère faute
eine leichte Arbeit	an easy task	un travail facile
leicht gesagt!	easy to say that	facile à dire!
das Leid s/en → Freude	harm; sorrow	le mal; le chagrin
es tut mir leid (daß)	I'm sorry (about that)	je regrette (que)
er tut mir leid	I pity him, I'm sorry for him	il me fait pitié
'leiden i-i (an) → sich freuen	to suffer (from)	souffrir (de)
Hunger leiden	to suffer (from) hunger	souffrir de la faim
Not leiden	to suffer want	être dans la misère
ich kann ihn nicht leiden	I cannot stand him	je ne peux pas le souffrir
die 'Leidenschaft /en	passion	la passion

'leider → glücklicher- weise	unfortunately; alas; I'm afraid ...	malheureusement; hélas; je crains ...
'leihen ie-ie	to lend; to borrow	prêter; emprunter
leihe mir das Buch	*lend me the book*	*prête-moi le livre*
ich leihe es von ihm	*I borrow it from him*	*je le lui emprunte*
'leise → laut	low; gentle; soft	bas,se; doux, douce
leise!	*be quiet!, silence!*	*doucement!, silence!*
mit leiser Stimme	*in a low voice*	*à voix basse*
leise sprechen	*to speak low*	*parler à voix basse*
leiser stellen	*to tune down*	*baisser*
'leisten	to do; to accomplish	faire; accomplir
Hilfe leisten	*to lend a (helping) hand*	*porter secours (à)*
Widerstand leisten	*to offer resistance*	*résister (à)*
einen Dienst leisten	*to render a service*	*rendre un service*
die 'Leiter /n	ladder	l'échelle f
auf die Leiter steigen	*to go up the ladder*	*monter à l'échelle*
die 'Leitung /en	line; management	la ligne; la direction
die Leitung ist besetzt	*the line is busy*	*la ligne est occupée*
'lernen	to learn; to study	apprendre; étudier
auswendig lernen	*to learn by heart*	*apprendre par cœur*
Deutsch lernen	*to learn German*	*apprendre l'allemand*
lesen lernen	*to learn to read*	*apprendre à lire*
'lesen a-e/ie	to read	lire
laut lesen	*to read aloud*	*lire à haute voix*
der Leser	*reader*	*le lecteur*
der/die/das 'letzte	the last; the latest	le dernier, la dernière
der vorletzte	*the last but one*	*l'avant-dernier*
letztes Jahr	*last year*	*l'année dernière*
letzten Sonntag	*last Sunday*	*dimanche dernier*
'leuchten	to shine, to (give) light	luire
die 'Leute pl	people pl	les gens pl
gewisse Leute	*certain people*	*certaines gens*
die meisten Leute	*most people*	*la plupart des gens*
sehr viele Leute	*a great many people*	*bien des gens*

die jungen/alten Leute	young/old people	*les jeunes/vieilles gens*
das Licht es/er; e	light; candle	*la lumière; la bougie*
Licht machen	to switch (the light) on	*faire/allumer la lumière; tourner le bouton*
(das Licht) ausmachen	to switch (the light) off	*éteindre (la lumière)*
ein Licht anzünden	to light a candle	*allumer une bougie*
lieb	dear	*cher,ère* [(que)
es ist mir lieb (daß)	I am glad (that)	*je suis bien aise*
lieber Herr X!	(my) dear Mr X,	*cher Monsieur,*
lieb haben	to be fond of, to love	*aimer*
die 'Liebe	love	*l'amour m*
aus Liebe (zu)	for (the) love (of)	*pour l'amour/par amour (de)*
'lieben	to love; to like	*aimer*
sie lieben sich	they love one another	*ils s'aiment*
'liebenswürdig	kind	*aimable*
'lieber (s. gern)	rather; better	*plutôt; mieux*
ich habe lieber	I prefer	*j'aime mieux, je préfère*
ich möchte lieber ...	I would rather ...	*j'aimerais mieux ...*
ich trinke lieber Kaffee	I prefer coffee, I'd rather have a coffee	*je prendrai plutôt/ je préfère prendre du café*
ich stehe lieber	I prefer standing	*je préfère/j'aime mieux être debout*
am 'liebsten (s. gern)		
das Lied es/er	song	*la chanson, le chant*
ein Lied singen	to sing a song	*chanter une chanson*
lief (1., 3. pers sg prät v. laufen)		
'liefern	to deliver; to furnish	*livrer; fournir*
'liegen a-e	to be situated/ placed; to lie; to be	*être situé/placé; se trouver; être couché; être*
im Bett liegen	to be in bed	*être au lit*
bleiben Sie liegen!	keep lying	*restez couché!*
es liegt mir daran (daß)	it means a lot to me, I am anxious to	*je tiens à ce que*

an wem liegt es?	whose fault is it?	*à qui la faute?*
das Zimmer liegt	the room overlooks	*la pièce donne sur*
nach dem Garten	the garden	*le jardin*
ließ (1., 3. pers sg prät v. lassen)		
liest (2., 3. pers sg präs v. lesen)		
das Line'al s/e	ruler	*la règle*
die 'Linie /n	line	*la ligne*
eine gerade Linie ziehen	to draw a straight line	*tirer une ligne droite*
in erster Linie	first of all	*en premier lieu*
'linke(r,s) → rechte(r,s)	left	*gauche*
linker Hand	on the left [left	*à (main) gauche, sur la gauche*
links → rechts	on the left, to the	*à gauche*
von links nach rechts	from left to right	*de gauche à droite*
links abbiegen	to turn left	*tourner à gauche*
links fahren	to keep to the left	*tenir sa gauche*
die 'Lippe /n	lip	*la lèvre*
die 'Liste /n	list	*la liste*
eine Liste aufstellen	to draw up a list	*dresser une liste*
das / der 'Liter s/-	litre	*le litre*
die Litera'tur /en	literature	*la littérature*
das Loch s/ö-er	hole	*le trou*
ein Loch graben	to dig a hole	*creuser un trou*
ein Loch reißen (in)	to tear a hole (in)	*faire un trou*
der 'Löffel s/-	spoon	*la cuiller [(dans)*
ein Löffel voll	a spoonful	*une cuillerée*
der Lohn s/ö-e	pay; wages, salary	*la paye; le salaire*
das Los es/e	lot	*le lot; le sort*
los!	go on!, go ahead!, let's go!, go it!, here goes!	*allons!, allez!, en route!, en avant!*
los werden	to get rid (of)	*se débarrasser (de)*
was ist los?	what's the matter?, what's the trouble?, what's up?	*qu'est-ce qu'il y a?, qu'est-ce qui se passe?, que se passe-t-il?*
was ist mit ihm los?	what's the matter with him?	*qu'est-ce qu'il a?*
'los|lassen → festhalten	to let go	*lâcher*

'lösen / losmachen	to undo; to detach	défaire, détacher
eine Karte lösen	to buy a ticket	prendre un billet
eine Aufgabe lösen	to solve a problem	résoudre/trancher un problème
die Lösung	solution	la solution
die Luft /ü-e	air	l'air m
an die Luft gehen	to take an airing	prendre l'air
tief Luft holen	to take a deep breath	respirer à fond
in die Luft fliegen	to be blown up	sauter
die 'Luftpost	air mail	la poste aérienne
mit Luftpost	by air mail	par avion
die 'Lüge /n	lie	le mensonge
→ Wahrheit		[mensonges
lügen	to lie, to tell a lie	mentir, dire des
die Lust /ü-e	desire; joy	le désir, l'envie f; la joie
Lust haben (zu)	to have a mind (to), to feel like	avoir envie (de)
keine Lust haben	not to feel like	ne pas avoir envie
mit Lust und Liebe	with heart and soul	avec un véritable plaisir
'lustig → traurig	gay, merry; funny	gai; joyeux,se; drôle
sich lustig machen (über)	to make fun (of)	se moquer (de)

M

'machen	to make, to do	faire
das macht nichts	that doesn't matter; never mind	cela ne fait rien; (il n'y a) pas de mal
wieviel macht das?	how much is it?	ça fait combien?
das macht zusammen 5 Mark	that comes to 5 marks	cela fait en tout 5 marks
was macht er?	what's he doing?	que devient-il?, que fait-il?
das macht man nicht	it isn't done	cela ne se fait pas
nichts zu machen!	nothing doing!	rien à faire!
ich mache mir nichts daraus	I don't care about it	je n'y tiens guère
mach's gut!	cheerio!	salut!

die Macht /ä-e	power, might	le pouvoir, la puissance
das steht nicht in meiner Macht	*that's beyond my power*	*cela n'est pas en mon pouvoir*
an der Macht sein	*to be in power*	*être au pouvoir*
an die Macht kommen	*to come (in)to power*	*arriver au pouvoir*
'mächtig	powerful	puissant
das 'Mädchen s/-	girl	la jeune fille
mag (1., 3. pers sg präs v. mögen)		
der 'Magen s/ä	stomach	l'estomac *m*
'mager → fett	lean	maigre
die 'Mahlzeit /en	meal	le repas
eine Mahlzeit halten	*to have a meal*	*faire un repas*
3 Mahlzeiten am Tag	*3 meals a day*	*3 repas par jour*
mal/einmal	just	donc, un peu
sag mal!	*I say; just tell me*	*dis donc!*
denken Sie mal!	*just think of it!*	*pensez donc!*
komm mal her!	*(just) come here*	*viens un peu!*
rate mal!	*just guess*	*devine un peu!*
das Mal s/e	time	la fois
zum ersten Mal	*for the first time*	*pour la première fois [fois*
zum letzten Mal	*for the last time*	*pour la dernière*
das nächste Mal	*next time*	*la prochaine fois*
voriges Mal	*last time*	*la dernière fois*
wieviele Male?	*how often?*	*combien de fois?*
einmal	*once*	*une fois*
zweimal	*twice*	*deux fois*
dreimal	*three times*	*trois fois*
5 x 4 = 20 *5 mal 4 ist 20*	*5 times 4 are 20*	*5 fois 4 font 20*
ein für allemal	*once and for all*	*une fois pour toutes*
malen	to paint	peindre
der Maler	*painter*	*le peintre*
die Malerei	*painting*	*la peinture*
Ma'ma /s	mummy	maman
man	one; you, we, they; people	on
man hat mir gesagt	*I've been told*	*on m'a dit*
man kann nie wissen	*you never can tell*	*sait-on jamais?*
'manche(r,s)	many a	plus d'un, maint
manches Mal	*many a time*	*mainte(s) fois*

'manchmal	sometimes	quelquefois, parfois
der' Mangel s/ä	absence, want, lack	l'absence *f*, le manque
aus Mangel an	*for want/lack of*	*faute de, par manque de*
Mangel haben (an)	*to be in want (of)*	*manquer (de)*
der Mann es/ä-er	man; husband	l'homme *m*; le mari
männlich	*masculine; male*	*masculin; mâle*
der 'Mantel s/ä	coat; overcoat	le manteau; le pardessus
einen Mantel tragen	*to wear a coat*	*porter un manteau*
den Mantel anziehen	*to put on o's coat*	*mettre son manteau*
die 'Mappe /n	brief-case; folder	la serviette; la che-
die Mark /-	mark	le mark [mise
10 Mark	*10 marks*	*10 marks*
die 'Marke /n	brand, make, mark; sign; stamp	la marque, le signe; le timbre
der Markt s/ä-e	market	le marché
auf dem Markt	*in the market*	*au marché*
der Marsch es/ä-e	march	la marche
marschieren	*to march*	*marcher* [reil m
die Ma'schine /n	machine, engine	la machine; l'appa-
(mit der) Maschine schreiben	*to type(write)*	*écrire/taper à la machine*
das Maß es/e	measure	la mesure
nach Maß	*made to measure*	*sur mesure*
Maß nehmen	*to take measure*	*prendre mesure*
in hohem Maße	*in a high degree*	*à un haut degré*
'mäßig → unmäßig	moderate	modéré
die 'Masse /n	mass	la masse
das Materi'al s/ien	material(s)	les matériaux *pl*; le matériel
die Ma'terie /n	matter	la matière
der Ma'trose n/n	sailor	le matelot
die 'Mauer /n	wall	le mur
der Maurer	*bricklayer, mason*	*le maçon*
die Maus /äu-e	mouse	la souris
der Me'chaniker s/-	mechanic	le mécanicien
die Medi'zin /en	medicine	la médecine; le remède
das Meer es/e	sea, ocean	la mer, l'océan *m*
am Meer	*at the seaside*	*au bord de la mer*
auf dem Meer	*at sea*	*en (pleine) mer*

das Mehl s/e	flour	la farine
mehr (s. viel)	more (than)	plus (de/que), davantage
→ weniger		
immer mehr	more and more	de plus en plus
mehr oder weniger	more or less	plus ou moins
nicht mehr	no more, no longer	ne ... plus
nichts mehr	nothing more	(ne ...) plus rien
niemand mehr	nobody else	(ne ...) plus personne
'mehrere	several	plusieurs
'mehrmals → einmal	several times	plusieurs fois
'meinen	to think, to mean	penser, croire
was meinen Sie dazu?	what do you think of that?	comment l'entendez-vous?, qu'en pensez-vous?
man sollte meinen	one would think	on dirait
wie Sie meinen!	as you like!	comme vous voulez!
'meinetwegen	because of me	à cause de moi
meinetwegen!	I don't mind	soit!, je veux bien
die 'Meinung /en	opinion	l'opinion f, l'avis m
meiner Meinung nach	in my opinion	à mon avis
ich bin Ihrer Meinung	I agree with you	je suis de votre avis
ich bin anderer Meinung	I'm of a different opinion	je suis d'un autre avis
seine Meinung ändern	to change o's mind	changer d'avis
'meist(ens)	mostly, for the most part	le plus souvent, la plupart du temps
am meisten	most (of all)	le plus
die meisten Leute	most people	la plupart des gens
der 'Meister s/-	master; champion	le maître; le patron; le champion
'melden X	to announce; to report	annoncer; rapporter
sich melden (bei)	to present o. s. (at)	se présenter (à)
sich (telefonisch) melden	to answer the telephone	répondre à l'appel m
die Melo'die /n	melody, tune, air	la mélodie, l'air m
die 'Menge /n	crowd, mass; amount, quantity	la foule, la masse; la quantité
eine Menge von ...	lots/plenty of ...	un grand nombre de ...
in großen Mengen	in great quantities	par grandes quantités

der Mensch en/en	man, human being; person	l'homme *m*, l'être *m* humain; la personne
der gesunde Menschenverstand	*common sense*	*le bon sens*
Mensch!	*man (alive)!, boy!*	*mon vieux!*
die 'Menschheit	humanity, mankind	l'humanité *f*
menschlich	*human*	*humain*
die Menschlichkeit	*humanity*	*l'humanité* f
merken	to notice, to observe	remarquer, s'apercevoir
sich merken	*to retain*	*retenir*
merkwürdig	curious, remarkable	curieux,se; remarquable
die 'Messe /n	fair	la foire
'messen aß-e/iß	to measure	mesurer
das 'Messer s/-	knife	le couteau
das Me'tall s/e	metal	le métal
das / der 'Meter s/-	metre, meter *am*	le mètre
2 Meter breit/lang/ hoch	*2 metres wide/ long/high*	*2 mètres de large/ de long/de haut*
der 'Metzger s/- (s. Fleischer)		
'mieten	to rent	louer
zu vermieten	*to let*	*à louer*
Autovermietung	*car-hire*	*location d'autos*
die Milch	milk	le lait
die Milli'on /en	million	le million
2 Millionen Mark	*2 million marks*	*2 millions de marks*
'mindestens → höchstens	at least	du moins, au moins
der Mi'nister s/-	minister	le ministre
die Mi'nute /n	minute	la minute
auf die Minute	*to the minute*	*à la minute*
'mischen	to mix	mêler, mélanger
die Mischung	*mixture*	*le mélange*
miß'lingen a-u → gelingen	to fail	mal réussir
'mißverstehen a-a → verstehen	to mistake, to misunderstand	mal entendre/ comprendre
der Mist es	muck; junk	le fumier; la camelote
'mit|bringen a-a	to bring (with)	apporter, amener
'miteinander → gegeneinander	with each other	l'un avec l'autre
das 'Mitglied s/er	member	le membre

das 'Mitleid s — pity — la pitié
  aus Mitleid (für) — *out of pity (for)* — *par pitié (pour)*
  Mitleid haben (mit) — *to have pity (on)* — *avoir pitié (de)*
'mit|nehmen a-o/i — to take along — emporter/ emmener; prendre avec soi

der 'Mittag s/e — midday, noon — le midi
  zu Mittag — *at midday/noon* — *(à) midi*
  gegen Mittag — *towards midday/ noon* — *vers midi*
  heute mittag — *at midday/noon today* — *ce midi*
  das Mittagessen — *lunch(eon)* — *le déjeuner*
  (zu) Mittag essen — *to have lunch(eon)* — *déjeuner*
  mittags — *at noon* — *à midi*
die 'Mitte /n — middle, centre — le milieu, le centre
  in der Mitte — *in the middle* — *au milieu*
  Mitte August — *in mid-August* — *à la mi-août*
'mit|teilen — to make known, to communicate — faire savoir, communiquer
das 'Mittel s/- — means; remedy — le moyen; le remède
  Mittel und Wege finden — *to find ways and means* — *trouver moyen*
der 'Mittelpunkt s/e — centre — le centre
'mitten (in) — in the middle (of) — au milieu/centre (de)
(die) 'Mitternacht — midnight — (le) minuit
  um Mitternacht — *at midnight* — *à minuit*
das 'Möbel s/-, Möbelstücke — (the piece of) furniture — le meuble
'möchte (1., 3. pers sg präs v. mögen)
die 'Mode /n — fashion; style — la mode
  nach der (neuesten) Mode — *according to the (latest) fashion* — *à la (dernière) mode*
mo'dern — modern, up-to-date — moderne, à la mode
'mögen o-o/a — to want, to like; to care to — vouloir, avoir envie (de)
  ich möchte (gern) — *I should like (to)* — *je voudrais (bien)*
  ich möchte lieber — *I would rather* — *j'aime(rais) mieux*
  ich möchte (gern) wissen — *I wonder, I should like to know* — *je voudrais bien savoir*
  was möchten Sie? — *what do you want?, what can I do for [you?* — *que désirez-vous?*
  das mag sein — *that may be* — *cela se peut*

'möglich → unmöglich	possible	possible
das ist (wohl) möglich	that's (quite) possible	c'est (bien) possible
so bald wie möglich	as soon as possible	le plus tôt possible
so oft wie möglich	as often as possible	le plus souvent possible
so schnell wie möglich, möglichst schnell	as quickly as possible	le plus vite possible
sein möglichstes tun	to do o's best	[(to) faire de son mieux
möglich machen (zu)	to make it possible	rendre possible
die 'Möglichkeit /en	possibility	la possibilité
der Mo'ment s/e	moment	le moment
Moment, bitte!	just a moment, please!	un moment, s'il vous plaît!
der 'Monat s/e	month	le mois
der Monat Mai	the month of May	le mois de mai
im (Monat) Mai	in May	au mois de mai, en mai
am Ersten des Monats	on the first of the month	le premier du mois [le
monatlich	monthly	par mois; mensuel,
der Mond es/e	moon	la lune
der Mond scheint, es ist Mondschein	the moon is shining	il fait clair de lune
der Mord es/e	murder	le meurtre
'morgen	tomorrow	demain
morgen früh	tomorrow morning	demain matin
morgen mittag	(at) midday/noon tomorrow	demain (à) midi
morgen abend	tomorrow night	demain soir
übermorgen	the day after tomorrow	après-demain
bis morgen!	see you tomorrow!	à demain!
morgen ist Sonntag	tomorrow will be Sunday	c'est demain dimanche
morgen in 8 Tagen	tomorrow week	demain en huit
der 'Morgen s/-	morning	le matin
am Morgen	in the morning	le matin
am frühen Morgen	early in the morning	de grand matin
vom Morgen bis zum Abend	from morning till night	du matin au soir
heute morgen	this morning	ce matin
gestern morgen	yesterday morning	hier matin

am folgenden Morgen	the following morning	le lendemain matin
guten Morgen!	good morning!	bonjour!
eines (schönen) Morgens	one of these (fine) days	(par) un (beau) matin
'morgens	in the morning	le matin
um 5 Uhr morgens	at 5 o'clock in the morning	à 5 heures du matin
frühmorgens	early in the morning	de grand matin
der 'Motor s/en	motor; engine	le moteur [moteur
den Motor anlassen	to start the engine	faire démarrer le
den Motor abstellen	to switch off the engine	arrêter le moteur
das 'Motorrad s/ä-er	motor-(bi)cycle/bike	la moto(cyclette)
Motorrad fahren	to ride a motor-cycle	faire de la moto
die 'Mücke /n	gnat, mosquito	le moustique
'müde	tired	fatigué
müde werden	to get tired	se fatiguer
müde sein	to be tired	être fatigué, avoir sommeil
ich bin es müde	I have had enough [of it	j'en ai assez (de)
die 'Mühe /n	trouble, pains; effort	la peine; l'effort m
mit großer Mühe	with great difficulty	à grand-peine
Mühe haben (mit)	to have some trouble (with)	avoir de la peine (à)
Mühe machen	to give trouble	donner de la peine
sich die Mühe machen	to take the trouble (to)	se donner la peine (de) [peine
sich Mühe geben	to take pains	se donner de la
es ist der Mühe wert	it's worth the trouble	cela vaut la peine (de)
die 'Mühle /n	mill	le moulin
der Mund es/ü-er	mouth	la bouche
halt den Mund!	hold your tongue!, shut up!	tais-toi!, tiens ta langue!, ta bouche!
von der Hand in den Mund leben	to live from hand to mouth	vivre au jour le jour [bouchée
ein Mundvoll	a mouthful	une gorgée, une
die 'Mündung /en	mouth	l'embouchure f
die Mu'sik	music	la musique
Musik machen	to make music	faire de la musique
der 'Muskel s/n	muscle	le muscle

'müssen	to be to, to have (got) to	devoir, falloir
ich muß fort	I must go/be off	je suis obligé de partir
ich muß weggehen	I must be off/going	il faut que je m'en aille
man muß arbeiten	we must work	il faut travailler
das 'Muster s/-	model; sample	le modèle; l'échantillon m
die Mustermesse	sample fair	la foire d'échantillon
der Mut es → Angst	courage	le courage
nur Mut!	cheer up!	courage!
den Mut verlieren	to lose courage	perdre courage
Mut fassen	to take courage/heart	prendre courage
guten Mutes sein	to be of good cheer	être de bonne humeur
die 'Mutter /ü	mother	la mère
die Muttersprache	mother tongue	la langue maternelle
die 'Mütze /n	cap	la casquette
die Mütze abnehmen/absetzen	to take off o's cap	ôter/retirer sa casquette

N

na!	well!	eh bien!
na so was!	dear, dear!	par exemple!
nach und nach	little by little, bit by bit, gradually	peu à peu
der 'Nachbar n/n	neighbour	le voisin
'nach|denken a-a (über)	to think about, to reflect on	réfléchir (sur)
'nacheinander → gleichzeitig	one after another	l'un après l'autre
die 'Nachfrage /n	demand	la demande
Angebot und Nachfrage	supply and demand	l'offre f et la demande
'nach|gehen → vorgehen	to be slow	retarder
die Uhr geht 5 Minuten nach	the clock is 5 minutes slow	la montre retarde de 5 minutes

'nachher → vorher	after(wards); later	ensuite; plus tard
der 'Nachmittag s/e	afternoon [(on)	l'après-midi m
am Nachmittag / nachmittags	in the afternoon; p. m.	(dans) l'après-midi
heute nachmittag	this afternoon	cet après-midi
am frühen Nachmittag	in the early afternoon	au début de l'après-midi
am späten Nachmittag	in the late afternoon	en fin d'après-midi
um 5 Uhr nachmittags	at 5 in the afternoon	à 5 heures du soir
die 'Nachricht /en	news sg	la nouvelle
die neuesten Nachrichten	the latest news	les dernières nouvelles
eine frohe Nachricht	a piece of good news	une joyeuse nouvelle
Nachricht haben (von)	to have word (from)	avoir des nouvelles (de)
'nach|sehen a-e/ie	to check	contrôler
'nächste(r,s) (s. nahe)	next	le plus proche, le prochain; le suivant
wer ist der nächste?	who comes next?	à qui le tour?
das nächste Mal	(the) next time	la prochaine fois
nächsten Sonntag	next Sunday	dimanche prochain
nächste Woche	next week	la semaine prochaine
nächstes Jahr	next year	l'année f prochaine
die Nacht /ä-e	night	la nuit
eines Nachts	one night	une nuit
gute Nacht!	good night!	bonne nuit!
in der Nacht	in the night	(pendant) la nuit
die ganze Nacht	all night	(pendant) toute la nuit
heute nacht	tonight	cette nuit [nuit
über Nacht bleiben, übernachten	to stay overnight	passer la nuit
es wird Nacht	it's getting dark	la nuit tombe
nachts	at night	(pendant) la nuit
nackt	naked, bare	nu
die 'Nadel /n	pin; needle	l'épingle f; l'aiguille f
die Sicherheitsnadel	safety pin	l'épingle de sûreté
die Haarnadel	hairpin	l'épingle à cheveux
der 'Nagel s/ä	nail	le clou; l'ongle m
'nahe (bei)/näher/ am nächsten → fern	near, close by	près; proche (de)
von nah und fern	from far and near	de près et de loin
'nahezu	nearly	à peu près

die 'Nähe → Ferne	neighbourhood	le voisinage
aus der Nähe	*from close to*	*de près*
(ganz) in der Nähe	*close by, near by*	*tout près*
'nähen	to sew	coudre
einen Knopf annähen	*to sew a button on*	*coudre un bouton*
nahm (1., 3. pers sg		
prät v. nehmen)		
die 'Nahrung	food	la nourriture
der 'Name ns/n	name	le nom
mein Name ist ...	*my name is ...*	*je m'appelle ...*
wie ist Ihr Name?	*what is your name?*	*quel est votre nom?*
der Vorname	*first name,*	*le prénom*
	Christian name	
der Familienname	*family name,*	*le nom de famille*
	surname	
'namentlich	by one's name;	par son nom;
	particularly	notamment
'nämlich	namely, that is (to	à savoir, c'est-à-
	say), (as) you (may)	dire
der Narr en/en	fool [know	le fou [(de)
zum Narren halten	*to make a fool (of)*	*se jouer/moquer*
die 'Nase /n	nose	le nez
sich die Nase putzen	*to blow o's nose*	*se moucher*
immer der Nase nach	*just follow your*	*allez droit devant*
	nose	*vous*
naß → trocken	wet	mouillé
naß werden	*to get wet*	*se mouiller*
die Nati'on /en	nation	la nation
die Vereinten	*the United Nations*	*les Nations Unies*
Nationen		
national	*national*	*national*
die Na'tur /en	nature	la nature
von Natur aus	*by nature*	*de (sa) nature*
die Naturwissen-	*natural science*	*les sciences*
schaft		*naturelles* pl
na'türlich	naturally, of course	naturellement, bien
		sûr
der 'Nebel s/-	mist, fog	le brouillard
es ist Nebel	*it is misty/foggy*	*il y a du brouillard*
neben'an	close by; next door	à côté; tout près
		d'ici [plus
'neben'bei	by the way; besides	en passant; en outre/
'nebeneinander	side by side	l'un à côté de l'autre
→ hintereinander		

'nehmen a-o/i	to take	prendre
den Bus nehmen	*to take the bus*	*prendre le bus*
ein Bad nehmen	*to have a bath*	*prendre un bain*
seine Arznei nehmen	*to take o's medicine*	*prendre son médicament*
da, nehmen Sie!	*(there), take it!*	*tenez!*
der Neid s	envy; jealousy	l'envie *f*; la jalousie
'neigen	to bend, to incline	incliner
nein → ja	no	non
aber nein!	*why, no!*	*mais non!*
mit nein antworten	*to say no*	*répondre que non*
'nennen a-a	to call	nommer
sich nennen	*to be called*	*s'appeler*
der Nerv s/en	nerve	le nerf
auf die Nerven gehen	*to get on s.o.'s nerves*	*prendre sur les nerfs (à)*
nett	nice, kind	gentil,le; joli
das ist nett von dir	*that's nice of you*	*c'est gentil de ta part*
er ist nett zu ihnen	*he is nice to them*	*il est gentil avec eux*
wie nett!	*how nice!*	*comme c'est gentil!*
das Netz es/e	net	le filet
das Einkaufsnetz	*net bag*	*le filet à provisions*
neu	new	nouveau (nouvel), nouvelle; neuf,ve
von neuem	*newly*	*à/de nouveau*
was Neues?	*what's new?*	*quoi de neuf?*
das ist mir neu	*that's new(s) to me*	*cela est nouveau pour moi*
was gibt es Neues?	*what's the latest news?*	*qu'y a-t-il de nouveau?*
die 'Neugier	curiosity	la curiosité
aus Neugier	*out of curiosity*	*par curiosité*
die 'Neuheit /en	novelty	la nouveauté
die letzten Neuheiten	*the latest novelties*	*les dernières nouveautés*
die 'Neuigkeit /en	news *sg*	la nouvelle
eine Neuigkeit erfahren	*to hear a piece of news*	*apprendre une nouvelle*
'neulich	the other day, recently	l'autre jour, récemment
nicht	not	ne … pas
noch nicht	*not yet*	*pas encore*
überhaupt nicht	*not at all*	*pas du tout*

warum nicht?	why not?	pourquoi pas?
auch nicht	not either	non plus
nicht wahr?	isn't it?	n'est-ce pas?, non?
Nichtraucher	non-smoker; No smoking	non-fumeur; Non-fumeurs
nichts → alles	nothing	(ne ...) rien
gar nichts	nothing at all	(ne ...) rien du tout [d'autre
nichts anderes	nothing else	(ne ...) rien
nichts mehr	no more	(ne ...) plus rien
das macht nichts	it does not matter	cela ne fait rien
(da ist) nichts zu machen	(there is) nothing to be done (about it)	(il n'y a) rien à faire
nie → immer	never	(ne ...) jamais
nie wieder	never again	(ne ...) jamais plus
'nieder → auf	down	vers le bas
auf und nieder	up and down	de haut en bas
nieder mit ...!	down with ...!	à bas ...!
'niedrig → hoch	low	bas,se
'niemals → immer	never	(ne ...) jamais
'niemand → alle	nobody/no one	(ne ...) personne
niemand anders	nobody else	(ne ...) personne d'autre
es ist niemand da	there is nobody there	il n'y a personne
ich habe niemanden gesehen	I didn't see anybody	je n'ai vu personne
nimmt (3. pers sg präs v. nehmen)		
'nirgends/nirgendwo	nowhere, not anywhere	nulle part
noch	still	encore
noch einmal	once again	encore une fois
noch nicht	not yet	pas encore
noch etwas?	anything else?	et avec ça?
noch einmal so viel	twice as much	le double
noch heute	this very day	aujourd'hui même
noch ein Brot	another loaf (of bread)	un autre pain
weder ... noch	neither ... nor	ni ... ni
noch mal, nochmals	once again; once more	encore une fois; de/à nouveau

der 'Norden s	north	le nord
gegen Norden	to the north	vers le nord
im Norden (von)	in/to the north (of)	au nord (de)
nördlich	north(ern)	au nord de
die nördliche Seite	the northern side	le côté nord
nor'mal	normal	normal
die Not /ö-e	need; misery; danger	le besoin; la misère; le danger
zur Not	if need be	au besoin
in Not sein	to be in trouble	être dans la misère
in Not geraten	to get into trouble	tomber dans la misère
Notausgang	Emergency exit	Sortie de secours
Notrufe	emergency calls	demandes de secours
'nötig → unnötig	necessary	nécessaire
nötig haben	to be in need (of)	avoir besoin (de)
es ist nicht nötig	there is no need	il n'est pas nécessaire (de)
'notwendig	necessary	nécessaire
die Null /en	zero	le zéro
über/unter Null	above/below zero	au-dessus/au-dessous de zéro
zwei (zu) null	two goals to nil	deux buts à zéro
die 'Nummer /n	number	le numéro
die Nummer wählen	to dial the number	composer le numéro
numerieren	to number	numéroter
nun	now	maintenant
nun!	why!, well!	allons!, voyons!, eh bien!
und nun?	well then?	eh bien?
was nun?	what next?	et après?
nur / bloß	only	seulement; ne . . que
nur noch 2 Minuten	only 2 minutes left	plus que 2 minutes
nicht nur . . ., sondern auch	not only . . ., but also	non seulement . . ., mais encore
der 'Nutzen s → Schaden	profit	le profit, le bénéfice
Nutzen ziehen (aus)	to profit (from)	tirer profit (de)
'nützen → schaden	to be useful	être utile
es nützt nichts	it's no use	cela ne sert à rien
'nützlich	useful	utile

O

ob	whether	si
als ob	*as if, as though*	*comme si*
(so) tun, als ob	*to pretend (to)*	*faire semblant (de)*
und ob!	*rather!, and how!*	*et comment!*
'oben → unten	above, up, on top	(en) haut
von oben	*from above*	*d'en haut*
von oben bis unten	*from top to bottom*	*de haut en bas*
siehe oben	*see above*	*voir ci-dessus*
da oben	*up there*	*là-haut*
oben auf dem Berg	*at the top of the mountain*	*en haut de la montagne*
oben auf dem Wasser	*on the surface of the water*	*à la surface de l'eau*
'obere (r,s) → untere	upper, superior	supérieur
die 'Oberfläche /n	surface	la surface
das Obst es	fruit	les fruits
der 'Ochse n/n	ox	le bœuf
der 'Ofen s/Ö	stove; oven	le poêle; le four
'offen → zu, ge-schlossen	open; frank	ouvert; franc
halb offen	*half-open*	*entr'ouvert*
offen gestanden	*frankly speaking*	*franchement (parlé)*
'öffentlich	public	public, publique
öffentlich bekannt-machen	*to make public*	*publier*
die öffentliche Bekanntmachung	*announcement*	*l'avis m au public*
in der Öffentlichkeit	*in public*	*en public*
'öffnen→(ab/zu)schlie-ßen / zumachen	to open	ouvrir
Hier öffnen!	*Open here!*	*Côté à ouvrir!*
geöffnet von ... bis	*open from ... to*	*ouvert de ... à*
oft/öfter → selten	often	souvent
wie oft?	*how often?*	*combien de fois?*
so oft wie möglich	*as often as possible*	*le plus souvent possible*
oh! das ist schön!	oh! that's fine!	oh! que c'est beau!
o ja!	*oh yes!*	*ah oui!*
o nein!	*oh no!*	*mais non!*
das Ohr s/en	ear	l'oreille f
das Öl s/e	oil	l'huile f; le pétrole; le mazout

in Öl	*in oil(s)*	*à l'huile*
die Ölheizung	oil heating	le chauffage au mazout
der ('Omni)Bus ses/se	(motor-)bus; motor coach	(auto)bus; autocar
der 'Onkel s/-	uncle	l'oncle *m*
die Operati'on /en	operation	l'opération *f*
das 'Opfer s/-	sacrifice; victim	le sacrifice; la victime
ein Opfer bringen	*to make a sacrifice*	*faire un sacrifice*
zum Opfer fallen	*to fall a victim (to)*	*être victime (de)*
'ordnen → verwirren	to put in order; to arrange	mettre en ordre; (ar)ranger
die 'Ordnung /en	order, arrangement	l'ordre *m*, (ar)range-
in Ordnung!	*all right!*	*bien!* [ment *m*
in Ordnung bringen	*to put in order*	*mettre en ordre*
ordentlich	*in good order*	*en (bon) ordre*
der Ort s/e	place, spot	le lieu, la place
an Ort und Stelle	*on the spot*	*sur place*
das Ortsgespräch	*local call*	*la communication urbaine*
der 'Osten s	east	l'est *m*
im Osten	*in the east*	*à l'est*
östlich	*east of; eastern*	*à l'est de; d'est*
die Ostseite	*the eastern side*	*le côté est*
'Ostern	Easter	Pâques
zu Ostern	*at Easter*	*à Pâques*
Fröhliche Ostern!	*Happy Easter!*	*Joyeuses Pâques!*
der 'Ozean s/e	ocean	l'océan *m*
der Ozeandampfer	*ocean liner*	*le (paquebot) transatlantique*

P

das Paar s/e	pair; couple	la paire; le couple
ein Paar Schuhe	*a pair of shoes*	*une paire de souliers*
paarweise	*in pairs*	*deux à deux*
ein paar	a few	quelques (uns)
vor ein paar Tagen	*the other day*	*il y a quelques jours*
ein paarmal	*several times*	*plusieurs fois*
packen	to pack; to seize	empaqueter; empoigner

den Koffer packen	to pack o's trunks	faire sa valise
am Arm packen	to seize by the arm	saisir par le bras
Packpapier	wrapping paper	du papier d'emballage
das Paket	parcel, package	le paquet, le colis
die 'Panne /n	breakdown	la panne
Panne haben	to have a breakdown	tomber en panne, être tombé en panne
das Pa'pier s/e	paper	le papier
ein Blatt Papier	a sheet of paper	une feuille de papier
Briefpapier	notepaper	du papier à lettres
Toilettenpapier	toilet-paper	du papier hygiénique
der Park s/s	park	le parc
'parken	to park	stationner
Parken verboten!	No parking	Défense de stationner
der Parkplatz	parking place, car-park	le parking, la place de stationnement
die Par'tei /en	party	le parti
Partei ergreifen	to take s.o.'s part	prendre parti
die führende Partei	the ruling party	le parti dirigeant
der Paß sses/ässe	passport	le passeport
die Paßkontrolle	passport control	le contrôle des passeports
'passen	to fit	convenir
der Mantel paßt (mir)	the coat fits me	le manteau (me) va bien
das paßt sich nicht	that's not done	cela n'est pas convenable
das paßt mir gut	that suits me well	cela m'arrange bien
das ist das passende Wort	that's the right word	c'est le mot propre
pas'sieren	to happen	se passer; arriver
der Pati'ent en/en	patient	le malade
die 'Pause /n	pause; break; interval	la pause; la récréation; l'entracte m
die Per'son /en	person, character	la personne, le personnage
ich für meine Person	as for me	quant à moi
der Personalausweis	identity card	la carte d'identité
per'sönlich	personal	personnel,le
die 'Pfeife /n	whistle; pipe	le sifflet; la pipe
Pfeife rauchen	to smoke o's pipe	fumer la pipe

'pfeifen iff-iff	to whistle	siffler
der 'Pfennig s/e	(penny)	(le centime)
das Pferd es/e	horse	le cheval
zu Pferde	*on horseback*	*à cheval*
die 'Pflanze /n	plant	la plante
'pflanzen	to plant	planter
'pflegen	to take care (of), to nurse	soigner, avoir soin (de)
einen Kranken pflegen	*to look after a patient*	*soigner un malade*
die Pflicht /en	duty	le devoir
es ist meine Pflicht (zu)	*it's my duty (to)*	*il est de mon devoir (de)*
'pflücken	to pick, to gather	cueillir
der Pflug s/ü-e	plough	la charrue
pflügen	*to plough*	*labourer*
das Pfund s/e	pound	la livre
2 Pfund Brot	*2 pounds of bread*	*2 livres de pain*
die Phanta'sie /n	imagination	l'imagination *f*
der 'Pinsel s/-	brush	le pinceau; la brosse
der Plan s/ä-e	plan; map	le plan
einen Plan entwerfen	*to make a plan*	*dresser un plan*
einen Plan ausführen	*to carry out a plan*	*réaliser un plan*
der Platz es/ä-e	place; space	la place; l'espace *m*
Platz machen (für)	*to make room (for)*	*faire place (à)*
Platz nehmen	*to take a seat*	*prendre place*
bitte, nehmen Sie Platz	*please sit down*	*asseyez-vous, je vous prie*
einen Platz besetzen	*to occupy a seat*	*occuper une place*
'platzen	to burst	crever
der Reifen ist geplatzt	*the tyre has burst*	*le pneu a/est crevé*
'plötzlich	all at once, suddenly	tout à coup, soudain
die Poli'tik	politics	la politique
po'litisch	political	politique
der Politiker	*politician*	*l'homme* m *politique*
über Politik sprechen	*to talk politics*	*parler politique*
die Poli'zei	police	la police
sich auf der Polizei melden	*to register (o.s.) with the police*	*se présenter à la police*
die Polizei rufen	*to call for the police*	*appeler la police*
der Poli'zist en/en	policeman	l'agent (de police) *m*
die Post	post; post-office; mail	la poste; le bureau de poste; le courrier

die Post erledigen	*to answer the mail*	*faire son courrier*
zur Post bringen	*to post*	*mettre à la poste*
mit der Post	*by mail*	*par la poste*
die Postkarte	*postcard*	*la carte postale*
postlagernd	*to be called for*	*poste restante*
postwendend	*by return of post*	*par retour du courrier*
der 'Posten s/-	post	le poste
'praktisch	practical	pratique
der Präsi'dent en/en	president	le président
der Preis es/e	price; prize	le prix
um jeden Preis	*at any price*	*à tout prix*
um keinen Preis	*not at any price*	*à aucun prix*
zum Preise von	*at the price of*	*au prix de*
der Preis ist ...	*the price is ...*	*le prix en est de ...*
einen Preis gewinnen	*to win a prize*	*gagner un prix*
die 'Presse /n	press	la presse
'prima!	marvellous!, wonderful!	chic!, chouette!, fameux!
pri'vat	private	privé; particulier
das Pro'blem s/e	problem	le problème
das Pro'dukt s/e	product	le produit
produzieren	*to turn out*	*produire*
das Pro'gramm s/e	program(me)	le programme
das Pro'zent s/e	per cent [cent?	le pour-cent [cent?
zu wieviel Prozent?	*at how much per*	*à combien pour*
prüfen	to examine; to test	examiner; éprouver
die 'Prüfung /en	exam(ination); test	l'examen m; l'épreuve f
eine Prüfung machen	*to go in for an examination*	*passer un examen*
das 'Publikum s	public	le public
das Pult es/e	desk; chair	le pupitre; la chaire
der Punkt s/e	point; full stop	le point
Punkt für Punkt	*point by point*	*point par point*
in diesem Punkt	*in this respect*	*à cet égard*
Punkt 12 (Uhr)	*at 12 (o'clock) sharp*	*à midi juste*
Punkt 5 (Uhr)	*at 5 (o'clock) sharp*	*à 5 heures précises*
ein wunder Punkt	*a sore point*	*un point faible*
'pünktlich → unpünkt-lich	punctual	ponctuel,le
pünktlich sein	*to be on time*	*être à l'heure*
'putzen	to clean	nettoyer

die Zähne putzen	to brush o's teeth	*se brosser/se laver les dents*
(sich) die Nase putzen	to blow o's nose	*se moucher*
putz deine Schuhe	clean your shoes	*nettoie tes chaussures*

Q

die Quali'tät /en	quality	la qualité
die Quanti'tät /en	quantity	la quantité
die 'Quelle /n	spring, source	la source
aus guter Quelle	on good authority	*de bonne source*
die Stromquelle	source of power	*la source de courant*
quer über	across	à travers
kreuz und quer	this way and that	*en tous sens*

R

das Rad es/ä-er	wheel; bicycle, bike	la roue; la bicyclette, le vélo
radfahren	to ride a (bi)cycle/bike	*aller à bicyclette; faire de la bicyclette*
der Radfahrer	cyclist	*le cycliste*
das 'Radio s/s	radio, wireless, radio (set)	la radio, le poste (de radio)
im Radio	on the radio/wireless	*à la radio*
Radio hören	to listen to the radio	*écouter la radio*
im Radio hören	to hear on the radio	*entendre à la radio*
stell das Radio an!	turn on the radio	*ouvre la radio*
stell das Radio ab!	turn off the radio	*ferme la radio*
der Radioapparat	radio/wireless set	*le poste de radio*
die Ra'kete /n	rocket	la fusée
eine Rakete abschießen	to launch a rocket	*lancer une fusée*
rasch → langsam	quick	vite
ra'sieren, sich	to shave, to have a shave	se raser, se faire la barbe
rasieren, bitte!	a shave, please!	*la barbe, s'il vous plaît!*
der Rasierapparat	razor	*le rasoir*

der Rat s/Ratschläge — advice — le conseil

einen guten Rat geben — to give a good piece of advice — donner un bon conseil

um Rat fragen — to ask s.o.'s advice — demander conseil (à)

höre auf seinen Rat — take his advice — suis son conseil

ich werde seinen Rat befolgen — I'll act on his advice — je vais suivre son conseil

das Rathaus — townhall/city-hall — l'hôtel m de ville, la mairie

'raten ie-a/ä — to advise; to guess — conseiller; deviner

rate mal! — just guess! — devine un peu!

das Rätsel — mystery; puzzle — l'énigme f; la devinette

das ist mir ein Rätsel — that puzzles me — je n'y comprends rien

der Rauch s/Rauchfahnen — smoke — la fumée

'rauchen — to smoke — fumer

Rauchen verboten! — No smoking! — Défense de fumer!

der Raucher — smoker — le fumeur

Raucher(abteil) — smoking(compartment) — (compartiment pour) fumeurs

der Nichtraucher — non-smoker — le non-fumeur

Nichtraucher(abteil) — non-smoking(compartment) — (compartiment pour) non-fumeurs

der Raum s/äu-e — room; space — la pièce; l'espace m

die Räume des Hauses — the rooms of the house — les pièces de la maison

der Raumflug — space-flight — le vol spatial

raus! (s. hinaus, heraus)

'rechnen — to reckon, to calculate; to count — calculer; compter

die 'Rechnung /en — account; bill; invoice — le compte; la facture

Ober, die Rechnung bitte! — waiter, the bill, please! — garçon, l'addition, s'il vous plaît!

die Hotelrechnung — bill — la note

das Recht s/e — right — le droit

mit Recht — justly, with good reasons, rightly — à bon droit, à juste titre

das Recht haben (zu) — to have the right (to) — avoir le droit (de)

recht → unrecht	fair, well, right	bien, comme il faut
zur rechten Zeit/ rechtzeitig	*in good time*	*à temps, à l'heure*
recht haben	to be right	avoir raison
nicht recht haben	*to be wrong*	*avoir tort*
'rechte(r,s)	right	droit,e
→ linke(r,s)		
die rechte Hand	*the right hand*	*la main droite*
rechter Hand	*on the right*	*à (main) droite*
rechts → links	on/to the right	à droite
von rechts nach links	*from right to left*	*de droite à gauche*
rechts abbiegen	*to turn right*	*tourner à droite*
rechts fahren	*to keep to the right*	*tenir sa droite*
Rechts halten!	*Keep right!*	*Serrez à droite!*
die 'Rede /n	speech	le discours
eine Rede halten (über)	*to make/deliver a speech (on)*	*faire/prononcer un discours (sur)*
das ist nicht der Rede wert	*that's not worth mentioning*	*cela ne vaut pas la peine d'en parler*
'reden	to talk	parler
→ schweigen		
mit jdm reden	*to talk to s.o.*	*parler à qn*
über etw reden	*to talk about s.th.*	*parler de qc*
über Politik reden	*to talk politics*	*parler politique*
der Redner	*speaker, orator*	*l'orateur m*
die 'Regel /n	rule	la règle
→ Ausnahme		
in der Regel	*as a rule*	*en règle générale*
regelmäßig	*regular*	*régulier,ère*
'regeln	to regulate	régler
sich 'regen	to stir; to be active	bouger; être actif,ve
der 'Regen s/-	rain	la pluie
der Regenmantel	*raincoat*	*l'imperméable m*
der Regenschirm	*umbrella*	*le parapluie*
regnen	*to rain*	*pleuvoir*
es regnet	*it is raining*	*il pleut*
es regnet in Strömen	*it's pouring with rain*	*il pleut à verse*
die Re'gierung /en	government	le gouvernement
'reiben ie-ie	to rub	frotter
reich → arm	rich	riche
der Reichtum	*wealth*	*la richesse*
'reichen	to give, to pass	tendre, passer
das reicht!	*that will do!*	*cela suffit!*

die Hand reichen	to shake hands (with)	*tendre la main*
reichen Sie mir bitte das Salz!	will you pass me the salt, please	*passez-moi le sel, s'il vous plaît!*
reif → unreif	ripe	mûr
reif werden	to ripen	*mûrir*
der 'Reifen s/-	tyre	le pneu
Reifenpanne haben	to have a flat tyre	*avoir un pneu crevé*
die 'Reihe /n	row; rank; series; line; file	le rang; la série; la ligne; la file
in einer Reihe	in a line/file	*à la file*
der Reihe nach	one after the other; in turn, by turns	*l'un après l'autre, tour à tour, à tour de rôle*
wer ist an der Reihe?	whose turn is it?	*à qui le tour?*
ich bin an der Reihe	it's my turn	*c'est mon tour*
rein → schmutzig	pure; clean; neat	pur; propre; net,te
ins reine schreiben	to make a fair copy (of)	*recopier, écrire au propre*
reinen Tisch machen	to make a clean sweep	*faire table rase*
reinigen	to clean	*nettoyer*
die Reinigung	cleaning	*le nettoyage*
die 'Reise /n	voyage; journey; travel; trip	le voyage, le trajet; le tour
gute Reise!	a pleasant journey!	*bon voyage!*
eine Reise machen	to go on a journey, to take a trip	*faire un voyage*
das Reisegepäck	luggage	*les bagages pl*
'reisen	to travel	voyager
ins Ausland reisen	to go abroad	*partir pour l'étranger, voyager à l'étranger*
von ... nach ...	to go from ... to ...	*se rendre de ... à ...*
über ... reisen	via ...	*... par ...*
der Reisende	traveller, passenger	*le voyageur*
'reißen i-i	to tear; to tear in two; to tear off	tirer; déchirer; arracher
ein Loch reißen	to tear a hole	*faire un trou*
der Faden reißt	the thread breaks	*le fil se casse*
'reiten i-i	to ride; to be/go on horseback	aller/être/monter à cheval
die Religi'on /en	religion	la religion
religiös	religious	*religieux,se*

'rennen a-a	to run	courir (vite)
die Repara'tur /en	repair(s)	la réparation
in Reparatur	*under repair*	*en réparation*
in Reparatur geben	*to have repaired*	*faire réparer*
die Reparaturwerk-	*service station,*	*le service de*
statt	*repair-shop*	*dépannage*
reparieren	*to repair*	*réparer*
reparieren lassen	*to have repaired*	*faire réparer*
die Republik /en	republic	la république
der Rest es/e	rest; remnant	le reste; le restant
das Restau'rant s/s		
(s. Gasthaus)		
'retten	to save	sauver
die Revoluti'on /en	revolution	la révolution
'richten	to direct; to judge	diriger; juger
sich richten (an)	*to address o.s. (to)*	*s'adresser(à)*
der 'Richter s/-	judge	le juge [correct
'richtig → falsch	right, exact, correct	juste, exact,e,
richtig!	*right!, quite (so)!*	*c'est cela (même)!,*
		c'est ça!
richtig rechnen	*to calculate*	*calculer juste*
	correctly	
die Uhr geht richtig	*the watch is right*	*la montre va bien*
die 'Richtung /en	direction, way	la direction, le sens
in dieser Richtung	*this way*	*par ici*
in Richtung auf	*in the direction of*	*en direction de*
in der entgegen-	*in the opposite*	*en sens contraire*
gesetzten Richtung	*direction*	
'riechen o-o (nach)	to smell (of)	sentir
gut/schlecht riechen	*to smell good/bad*	*sentir bon/mauvais*
riechen (an)	*to take a smell (at)*	*respirer (le parfum*
		[de)
rief (1., 3. pers sg prät		
v. rufen)		
das Rind s/er	cattle	le bœuf
das Rindfleisch	*beef*	*le bœuf*
der Ring s/e	ring; circle; link	le rond; la bague; le
		cercle; l'anneau *m*
einen Ring tragen	*to wear a ring*	*porter une bague*
rings(um[her])	around, round	tout autour (de)
	about	
der Rock s/ö-e	coat; skirt	la veste; la jupe
roh	raw; coarse, rough	cru; grossier
die 'Rolle /n	roll(er); part, role	le rouleau, le rôle; le
		personnage

rollen	to roll	rouler
der Ro'man s/e	novel	le roman
die 'Rose /n	rose	la rose
rot/röter/am rötesten	red	rouge
rot werden	*to turn red*	*rougir*
das Rote Kreuz	*the Red Cross*	*la Croix Rouge*
bei Rot halten	*to stop at the red light*	*s'arrêter au feu rouge*
der 'Rücken s/-	back	le dos
die Rückseite	*back*	*le derrière*
die 'Rückkehr	return	le retour
bei meiner Rückkehr	*on my return*	*à mon retour*
(die) Rückfahrkarte	*return (ticket)*	*(le billet d')aller et retour*
'rückwärts → vorwärts	backward(s)	en arrière
rückwärtsfahren	*to back*	*reculer, faire marche arrière*
der Ruf s/e	call, cry	l'appel *m*, le cri
die Rufnummer	*(tele)phone-number*	*le numéro d'appel*
'rufen ie-u	to call, to cry	appeler, crier
(um) Hilfe rufen	*to call for help*	*appeler au secours*
die Polizei rufen	*to call for the police*	*appeler la police*
die 'Ruhe	rest, calm, silence	le repos, le calme, le silence
Ruhe!	*silence!, be quiet!*	*silence!, pas de bruit!*
laß mich in Ruhe!	*leave me alone!*	*laisse-moi tranquille!*
nur die Ruhe!, immer mit der Ruhe!	*easy does it!, take it easy!*	*du calme!, tout doux!*
die Ruhe bewahren	*to keep calm*	*garder son calme*
'ruhen	to rest	reposer
'ruhig → unruhig	calm, quiet	calme, tranquille
sei ruhig!	*keep quiet!*	*tais-toi!*
ruhig bleiben	*to keep calm*	*rester calme*
ruhig schlafen	*to sleep soundly*	*dormir tranquille*
der Ruhm es	glory, fame	la gloire
(sich) 'rühren	to stir/move; to touch	bouger, (se) mouvoir; toucher
rühren Sie sich nicht!	*don't stir!*	*ne bougez pas!*
das rührt ihn nicht	*that doesn't touch him*	*cela ne le touche pas*

rund	round [sound	rond
der 'Rundfunk s	wireless, radio,	la radio(diffusion)
im Rundfunk	*on the wireless/radio*	*à la radio*
'runter (s. herunter)		

S

die 'Sache /n	thing; affair, matter	la chose; l'affaire *f*
das ist meine Sache	*that's my affair*	*c'est mon affaire*
das ist Ihre Sache	*that's your business*	*cela vous regarde*
eine Sache für sich	*a matter apart*	*une chose à part*
das ist eine andere Sache	*that's another matter*	*c'est une autre affaire*
das ist nicht deine Sache	*that's no business of yours*	*cela ne te regarde pas*
zur Sache!	*(back) to the subject!*	*au fait!*
so steht die Sache	*that's how matters stand*	*voilà où en est l'affaire* f
das gehört nicht zur Sache	*that's beside the point*	*c'est hors du sujet*
die Sache ist erledigt	*that settles the matter*	*c'est chose faite*
der Sack s/ä-e	sack, bag	le sac
'säen	to sow	semer
der Saft s/ä-e	juice	le jus
'sagen	to say, to tell	dire
sag!, was du nicht sagst!	*you don't say (so)!*	*dis!*
man sagt	*they say*	*on dit*
Dank sagen (für)	*to thank (for)*	*remercier (de)*
das hat nichts zu sagen	*it does not matter*	*ce n'est rien*
wie sagt man ... auf deutsch?	*what is the German for ...?*	*comment dit-on ... en allemand?*
das sagt man nicht	*that's not the proper thing to say*	*cela ne se dit pas*
was wollen Sie damit sagen?	*what do you mean by that?*	*que voulez-vous dire par là?*
sah (1., 3. pers sg prät v. sehen)		
das Salz es/e	salt	le sel [dedans?
ist Salz daran?	*is it salted?*	*y a-t-il du sel*

die Speisen salzen	*to salt the dishes*	*saler les aliments*
salzig	*salty*	*salé*
'sammeln	to gather, to collect	rassembler; ramasser
Briefmarken sammeln	*to collect stamps*	*collectionner les timbres-poste [cueil*
die Sammlung	*collection*	*la collection; le re-*
'sämtliche → einige	all (together)	tous (ensemble)
sämtliche Werke pl	*the complete works* pl	*les œuvres complètes* pl
der Sand s/e	sand	le sable
sanft → heftig	gentle	doux,ce
saß (1., 3. pers sg prät v. sitzen)		
satt sein → hungrig	to have had enough	avoir assez mangé
sich satt essen	*to eat o's fill*	*manger à son appétit/à sa faim*
ich habe es satt	*I'm sick of it*	*j'en ai assez*
der Satz es/ä-e	sentence; leap, bound	la phrase; le bond
einen Satz machen	*to take a leap*	*faire un bond*
in einem Satz	*with one bound/leap*	*d'un seul bond*
ein Satz Briefmarken	*a set of stamps*	*une série de timbres*
'sauber → schmutzig	clean; neat	propre; net
sauber machen	*to clean (up) [book*	*nettoyer*
ein sauberes Heft	*a clean exercise-*	*un cahier propre*
'sauer → süß	sour; acid	aigre; acide
sauer werden	*to turn sour*	*s'aigrir*
die Milch ist sauer	*the milk has turned (sour)*	*le lait a tourné*
es wird ihm sauer	*he's finding it tough (going)*	*il lui devient pénible*
die 'Schachtel /n	box, case	la boîte
eine Schachtel Streichhölzer	*a box of matches*	*une boîte d'allumettes*
eine Schachtel Zigaretten	*a packet of cigarettes*	*un paquet de cigarettes*
es ist **'schade**	it's a pity	c'est dommage
wie schade!	*what a pity!*	*quel dommage!*
'schaden → nützen	to do harm, to hurt	faire du mal (à)
das schadet nichts	*that does not matter*	*cela ne fait rien*
der 'Schaden s/ä → Nutzen	harm, damage [damage	le mal; le dommage
Schaden anrichten	*to do harm, to cause*	*causer du dommage*
Schaden erleiden	*to suffer harm*	*subir un dommage*

Schaden wieder-gutmachen	to repair the damage	réparer le dommage
das Schaf s/e	sheep	le mouton
'schaffen / erschaffen uf-a	to create; to produce	créer; produire
er hat ein Meisterwerk geschaffen	he has created a masterpiece	il a créé un chef-d'œuvre
'schaffen	to work; to do	travailler; faire
er schafft den ganzen Tag	he is busy all day long	il travaille toute la journée
ich habe es geschafft	I managed it	j'y suis parvenu
nach Hause schaffen	to take home	reconduire à la maison
zur Post schaffen	to post	mettre à la poste
ins Krankenhaus schaffen	to take to (the) hospital	hospitaliser
'schälen	to peel	peler
Kartoffeln schälen	to peel potatoes	éplucher des pommes de terre
die 'Schallplatte /n	record	le disque
eine (Schall-)Platte auflegen	to put on a record	mettre un disque
eine andere Platte auflegen	to put on another record	changer de disque
'schalten (rauf/runter)	to change gear, to change up/down	changer de vitesse [rupteur
der Schalter	switch, knob	le bouton, l'inter-
scharf	sharp, keen	tranchant
scharf einstellen	to bring into focus	mettre au point
der 'Schatten s/- → Licht	shade; shadow	l'ombre f
im Schatten	in the shade	à l'ombre
in den Schatten stellen	to put in the shade	mettre à l'ombre
Schatten werfen (auf)	to cast a shadow (upon)	faire de l'ombre (à)
'schätzen	to estimate; to value	estimer; évaluer
sich glücklich schätzen	to be happy (to)	s'estimer heureux
wie alt schätzt du ihn?	how old do you think he is?	quel âge lui donnes-tu?
das 'Schauspiel s/e	spectacle; play	le spectacle; la pièce de théâtre
der Scheck s/s	cheque	le chèque

der **Schein** s/e	shine, light; note, bill *am*	la lueur; le billet
bei|im Sonnenschein	*in the sun(shine)*	*au soleil*
zwei Zehnmarkscheine	*two ten mark notes*	*deux billets de dix marks*
den Schein wahren	*to keep up appearances* pl	*sauver les apparences* pl
'**scheinen** ie-ie	to shine; to seem, to appear	luire; sembler, paraître
der Mond scheint	*the moon is shining*	*il fait clair de lune*
es scheint	*it seems*	*il semble, il paraît*
mir scheint	*it seems to me*	*il me semble*
er scheint krank zu sein	*he appears to be sick*	*il a l'air malade*
der '**Scheinwerfer** s/-	head-light	le phare
'**schenken**	to give, to present	donner, offrir
jdm etw schenken	*to give s.o. a present*	*faire cadeau de qc à qn*
die '**Schere** /n	scissors *pl*	les ciseaux *pl*
eine Schere	*a pair of scissors*	*une paire de ciseaux*
'**schicken**	to send	envoyer
mit der Post schicken	*to (send by) post*	*envoyer par la poste*
ins Haus schicken	*to send (to)*	*livrer à domicile*
nach dem Arzt schicken	*to send for the doctor*	*envoyer chercher le médecin*
das '**Schicksal** s/e	destiny, fortune, fate	la destinée, la fortune, le destin, le sort
'**schieben** o-o → ziehen	to push	pousser
den Wagen schieben	*to push the car*	*pousser la voiture*
schief → gerade	inclined, slant(ing), sloping, a-tilt	incliné, penché, en pente, oblique
schien (1., 3. pers sg prät v. scheinen)		
'**schießen** o-o **(auf)**	to shoot (at)	tirer (sur)
schieß los!	*fire away!*	*vas-y!, démarre!*
ein Tor schießen	*to score a goal*	*marquer un but*
eine Rakete abschießen	*to launch a rocket*	*lancer une fusée*
das **Schiff** s/e	ship, boat	le bateau, le navire
mit dem Schiff fahren	*to travel by ship*	*prendre le bateau*
auf dem Schiff	*on board (the ship)*	*à bord*

der Schirm s/e	umbrella	le parapluie
der Bildschirm	*screen*	*l'écran* m
die Schlacht /en	battle	la bataille
der Schlaf s	sleep	le sommeil
im Schlaf	*in o's sleep*	*en dormant*
ein Schläfchen machen	*to take a nap*	*faire un petit somme*
das Schlafzimmer	*bedroom*	*la chambre (à coucher)*
'schlafen ie-a/ä → wachen	to sleep, to be asleep	dormir; coucher
schlafen gehen	*to go to sleep/to bed*	*(aller) se coucher, aller au lit*
schlafen Sie gut!	*sleep well*	*dormez bien!*
fest schlafen	*to sleep soundly*	*dormir profondément*
einschlafen	*to fall asleep*	*s'endormir*
eingeschlafen sein	*to have fallen asleep*	*s'être endormi*
der Schlag s/ä-e	blow, knock	le coup
einen Schlag versetzen	*to strike a blow*	*donner un coup*
Schlag auf Schlag	*blow upon blow*	*coup sur coup*
auf einen Schlag	*at one blow*	*d'un seul coup*
Schlag 5 (Uhr)	*on the stroke of 5*	*à 5 heures sonnantes*
'schlagen u-a/ä	to strike, to beat, to knock, to hit	battre, frapper
mit dem Stock schlagen	*to beat with a stick*	*frapper avec un bâton*
das Herz schlägt mir	*my heart beats*	*mon cœur bat*
es schlägt zehn (Uhr)	*it's just striking ten (o'clock)*	*dix heures sonnent*
einen Nagel in die Wand schlagen	*to drive a nail into the wall*	*planter un clou dans le mur*
schlecht → gut	bad	mauvais
nicht schlecht	*not (at all) bad*	*pas mal*
mir ist schlecht	*I feel ill/sick*	*je me sens mal, j'ai mal au cœur*
es geht mir schlecht	*I'm badly off*	*je vais mal*
immer schlechter	*worse and worse*	*de mal en pis*
schlecht aussehen	*to look ill*	*avoir mauvaise mine*
es ist schlechtes Wetter	*the weather is bad*	*il fait mauvais temps*

'schließen o-o → öffnen	to shut, to close	fermer
in die Arme schließen	to embrace	embrasser
einen Vertrag schließen	to conclude a treaty	conclure un traité
den Brief schließen	to finish the letter	finir la lettre
'schließlich	finally, at length, after all	enfin, finalement, à la fin
schließlich etw tun	to end by doing s.th	finir par faire qc
schlimm → gut	bad; evil	mauvais
umso schlimmer	all the worse, so much the worse	tant pis
das ist nicht so schlimm	it's not as bad as all that	il n'y a pas (trop) de mal
ein schlimmes Ende nehmen	to come to a bad end	finir mal
schlimmstenfalls	at the worst	à la rigueur
nichts Schlimmes	nothing serious	rien de grave
das Schloß sses/ össer	lock; castle	la serrure; le château
der Schluck s/e	mouthful	la gorgée
einen Schluck nehmen	to have a sip	prendre une gorgée
schlucken	to swallow (down)	avaler
der Schluß sses/üsse → Anfang	close; end	la fermeture; la fin
Schluß machen (mit)	to put an end (to), to finish (with)	(en) finir (avec)
Schluß!	done!, finished!	terminé!, fini!
Schluß damit!	stop it!, that will do!	finissez-en!
der 'Schlüssel s/-	key	la clef
der Schlüssel steckt	the key is in the lock	la clef est dans la serrure
den Schlüssel stecken lassen	to leave the key (in the lock)	laisser la clef dans la serrure
schmal/schmaler/am schmalsten → breit	narrow	étroit
'schmecken	to taste	goûter
gut schmecken	to taste good	avoir bon goût
bitter schmecken	to have a bitter taste	avoir un goût amer
(wie) schmeckt's?	do you like it?	comment trouvez- vous cela?
der Schmerz es/en	pain, ache	la douleur

heftige Schmerzen	severe pains	de vives douleurs
ich habe Schmerzen	I feel pains	j'ai des douleurs, j'ai mal
Kopfschmerzen haben	to have a headache	avoir mal à la tête
schmerzen	to be painful	faire de la peine
es schmerzt mich	it gives me pain	cela me peine
schmerzhaft	painful	douloureux,se
'schmutzig → sauber, rein	dirty	sale, malpropre
(sich) schmutzig machen	to dirty (o.s.)	(se) salir
der Schnee s	snow	la neige
'schneiden i-i	to cut	couper
in Stücke schneiden	to cut up	couper en morceaux
sich die Haare schneiden lassen	to have o's hair cut	se faire couper les cheveux
sich in den Finger schneiden	to cut o's finger	se couper le doigt
der Schneider	tailor, dressmaker [fast	le tailleur, le couturier
schnell → langsam	quick, rapid, swift;	rapide; vite [vous!
schnell!	be quick!, hurry up!	vite!, dépêchez-
so schnell wie möglich	as quickly as possible	le plus vite possible
machen Sie schnell!	hurry up!	dépêchez-vous!
schnell fahren	to drive fast	rouler à vive allure
der 'Schnupfen s	cold	le rhume
die Schnur /ü-e	cord, string	le cordon, la ficelle
die Schoko'lade /n	chocolate	le chocolat
eine Tafel Schokolade	a bar of chocolate	une tablette (de chocolat)
schon/bereits	already	déjà
schon jetzt	already	dès maintenant
schon lange	for a long time	depuis longtemps
heute schon	this very day	aujourd'hui même
er wird schon kommen	he is sure to come	il viendra bien
schön → häßlich	beautiful, fine	beau (bel), belle
wie schön!	how nice/beautiful!	comme c'est beau!
es war so schön!	it was (so) beauti-ful/wonderful!	c'était si beau!
es ist heute schön(es Wetter)	the weather is fine today	il fait beau (temps) aujourd'hui

danke schön!	*many thanks*	*merci bien!*
bitte schön!	*don't mention it*	*je vous en prie*
die 'Schönheit /en	beauty	la beauté
der Schrank s/ä-e	wardrobe; cupboard	l'armoire *f*; le placard
der 'Schreck(en) s/-	fright; terror, horror	la terreur, l'horreur *f*
schrecklich	*frightful; terrible*	*terrible*
'schreiben ie-ie	to write; to spell	écrire; orthographier
ins reine schreiben	*to write out a fair copy*	*écrire au propre, recopier*
mit der Maschine schreiben	*to type(write)*	*écrire à la machine, taper (à la machine)*
die Schreibmaschine	*typewriter*	*la machine à écrire*
'schreien ie-ie	to cry, to shout	crier, pousser des cris
vor Schmerz schreien	*to cry with pain*	*crier de douleur*
'schreiten i-i	to walk	marcher
die Schrift /en	writing	l'écriture *f*
das Schriftstück	*writing*	*le papier*
der Schriftsteller	*writer*	*l'écrivain m*
schriftlich	*written*	*(par) écrit*
der Schritt s/e	step	le pas
Schritt für Schritt	*step by step*	*pas à pas*
auf Schritt und Tritt	*at every step/turn*	*à chaque pas*
mit schnellen Schritten	*at a brisk pace*	*d'un pas rapide*
Schritte unternehmen	*to take steps*	*faire des démarches*
Schritt halten (mit)	*to keep step (with)*	*aller au pas (avec)*
Schritt fahren!	*Drive slowly!*	*Circuler au pas!*
der Schuh s/e	shoe, boot	le soulier, la chaussure
ein Paar Schuhe	*a pair of shoes*	*une paire de souliers*
die Schuhe putzen	*to polish o's shoes*	*nettoyer les chaussures*
die Schuhe anziehen/ ausziehen	*to put on/take off o's shoes*	*mettre/ôter ses chaussures*
die Schuld /en	fault; debt	la faute; la dette
es ist meine Schuld	*it is my fault*	*c'est ma faute*
wer ist schuld?	*whose fault is it?*	*à qui la faute?*
schuld sein (an)	*to be to blame (for)*	*être responsable (de)*
Schulden machen	*to run into debt*	*faire des dettes*
seine Schulden bezahlen	*to pay o's debts*	*payer ses dettes*

schieb die Schuld nicht auf mich	don't put the blame on me	ne rejette pas la faute sur moi
'schulden	to owe	devoir
'schuldig	guilty	coupable
was bin ich schuldig?	how much do I owe you?	combien vous dois-je?
die Schule /n	school	l'école f
in der Schule	at school	en classe [en classe
in die Schule gehen	to go to school	aller à l'école, aller
Schule haben	to have (o's) lessons	avoir classe
eine Schule besuchen	to go to a school	fréquenter une école
Schularbeiten machen	to do o's home-work	faire ses devoirs
der 'Schüler s/-	pupil, schoolboy	l'élève m, l'écolier
die 'Schulter /n	shoulder	l'épaule f
der Schuß sses/üsse	shot	le coup (de feu)
die 'Schüssel /n	dish, bowl	le plat, le bol
'schütteln	to shake	secouer
die Hand schütteln	to shake hands (with)	serrer la main (à)
vor Gebrauch schütteln	shake well before using	agiter avant l'emploi m
der Schutz es	protection	la protection
in Schutz nehmen	to defend	défendre
Schutz suchen	to take shelter	chercher abri
'schützen (vor)	to protect (from)	protéger
geschützt (gegen)	safe (from), protected (against)	à l'abri (de)
schwach → stark	weak	faible
mir wird schwach	I am feeling faint	j'ai une faiblesse
eine Schwäche haben (für)	to have a weakness (for)	avoir un faible (pour)
der Schwamm s/ä-e	sponge	l'éponge f
mit dem Schwamm wegwischen	to sponge out	effacer à l'éponge
der Schwanz es/ä-e	tail	la queue
der Hund wedelt mit dem Schwanz	the dog wags its tail	le chien remue la queue
schwarz	black [head	noir
ins Schwarze treffen	to hit the nail on the	faire mouche
schwarz auf weiß	in black and white	noir sur blanc
'schweigen ie-ie	to be silent	se taire
→ reden [von		[de
ganz zu schweigen	to say nothing of	pour ne pas parler
schweigend	in silence	en silence

das Schwein es/e	pig	le cochon; le porc
schwer → leicht	heavy; difficult; serious	lourd; difficile; grave
5 Pfund schwer sein	*to weigh 5 pounds*	*avoir un poids de/ peser 5 livres*
schwer arbeiten	*to work hard*	*travailler dur*
eine schwere Arbeit	*hard work*	*un travail pénible*
ein schwerer Fehler	*a bad mistake*	*une faute grave*
schwer krank	*seriously ill*	*gravement malade*
schwer verletzt	*seriously injured/ wounded*	*grièvement blessé*
die 'Schwester /n	sister	la sœur
'schwierig → leicht	difficult	difficile [délicate
ein schwieriger Punkt	*a knotty problem*	*une question*
die 'Schwierigkeit /en	difficulty	la difficulté
ohne Schwierigkeit [sein	*without difficulty*	*sans peine/ difficulté*
in Schwierigkeiten	*to be in trouble*	*être en difficultés*
in Schwierigkeiten geraten	*to get into trouble*	*rencontrer des difficultés*
'schwimmen a-o [swim	to swim, to have a	nager
schwimmen gehen	*to go for a swim*	*aller nager*
durch einen Fluß schwimmen	*to swim across a river*	*traverser une rivière à la nage*
gegen den Strom schwimmen	*to swim against the current*	*nager contre le courant*
'schwitzen → frieren	to sweat, to perspire	suer, transpirer
der See s/n	lake	le lac
die See	sea	la mer
auf See	*at sea*	*en (pleine) mer*
an die See fahren	*to go to the seaside*	*aller au bord de la mer*
an der See	*by the sea(side)*	*au bord de la mer*
zur See gehen	*to go to sea*	*se faire marin*
seekrank sein	*to be sea-sick*	*avoir le mal de mer*
die 'Seele /n	soul	l'âme *f*
mit Leib und Seele dabei sein	*to put o's heart and soul into s.th.*	*s'adonner corps et âme (à)*
das 'Segel s/-	sail	la voile
mit vollen Segeln	*under full sail*	*à pleines voiles*
'sehen a-e/ie	to see; to look	voir; regarder
sieh mal an!	*I say!*	*tiens!, tenez!*
sieh mich an!	*look at me*	*regarde-moi! [toi!*
sieh dich um!	*look around you*	*regarde autour de*

sieh nach rechts!	look right	*regarde à droite!*
laß mal sehen!	let me see	*fais (-moi) voir!*
gut sehen	to have good eyes(ight)	*avoir de bons yeux*
schlecht sehen	to have bad eyes(ight)	*voir mal; avoir une mauvaise vue*
klar sehen	to see clearly	*y voir clair*
mit eignen Augen sehen	to see with o's (own) eyes	*voir de ses (propres) yeux*
sieh nach der Uhr, wie spät es ist	see what time it is by your watch	*regarde à ta montre quelle heure il est*
vom Sehen kennen	to know by sight	*connaître de vue*
im Fernsehen sehen	to see on television	*voir à la télé(vision)*
fernsehen	to watch television	*regarder la télé(vision)*
der Fernsehzuschauer	(tele)viewer	*le téléspectateur*
sehr → wenig	very; much	*très; beaucoup*
sehr gern	(most) willingly	*bien volontiers*
sehr gut	very good/well	*très bien*
sehr viele	a great many	*bien des*
das gefällt mir sehr	I like it very much	*cela me plaît beaucoup*
danke sehr!	thanks very much	*merci bien! [rien!*
bitte sehr!	don't mention it	*pas de quoi!, de*
sei (imp v. sein)		
die 'Seife /n	soap	*le savon*
ein Stück Seife	a cake of soap	*une savonnette*
sein, war— gewesen	to be; to exist	*être; exister*
wer ist da?	who's there?	*qui est là?*
ich bin's	it's me	*c'est moi*
bist du's?	is it you?	*est-ce toi?, c'est toi?*
da bin ich	here I am	*me voilà*
was ist das?	what's that?	*qu'est-ce (que c'est)?*
was soll das sein?	what does that mean?	*qu'est-ce que cela veut dire?*
laß das sein!	stop that!	*laisse cela!*
'seinetwegen	because of him	*à cause de lui*
seit	since	*depuis*
seit wann?	since when?	*depuis quand?*
seit gestern	since yesterday	*depuis hier*
seit langem	for a long time	*depuis longtemps*
seit 3 Jahren	(for) 3 years	*il y a 3 ans*

seit'dem	(ever) since	depuis lors
die 'Seite /n	side; page	le côté; la page
auf der rechten Seite	*on the right (hand side)*	*au côté droit, à la droite*
an meiner Seite	*by my side*	*de mon côté*
auf seiner Seite	*on his side*	*de son côté*
geh zur Seite!	*step aside*	*laisse passer!*
auf beiden Seiten	*on both sides*	*des deux côtés*
von allen Seiten	*from all sides*	*de tous côtés*
nach allen Seiten	*in all directions*	*en tous sens*
Seite an Seite	*side by side*	*côte à côte*
das ist nicht seine starke Seite	*that's not his strong point*	*ce n'est pas son fort*
wir sind auf Seite 3	*we are on page 3*	*nous en sommes à la page 3*
die Se'kunde /n	second	la seconde
'selber/selbst	self; even	même
ich selbst	*I myself*	*moi-même*
selbst seine Freunde	*even his friends*	*même ses amis*
das versteht sich von selbst	*that goes without saying*	*cela va sans dire*
'selbstverständlich	(as a matter) of course	bien entendu, bien sûr
aber selbstverständlich!	*why, certainly! naturally!*	*mais naturellement!*
es ist selbstverständlich, daß	*it goes without saying that*	*il va sans dire/ il va de soi que*
'selten → oft/häufig	rarely, seldom	rarement
nicht selten	*pretty often*	*assez souvent*
ein seltener Vogel	*a rare bird*	*un oiseau rare*
'senden (a-a) → empfangen	to send; to broadcast	envoyer; émettre
Bitte nachsenden!	*Please forward*	*Prière de faire suivre*
ein Programm senden	*to broadcast/tele-cast a program(me)*	*émettre un programme*
der 'Sessel s/-	armchair	le fauteuil
'setzen	to put; to place	mettre; poser; placer
alles daran setzen	*to do o's utmost*	*mettre tout en œuvre*
in Gang setzen	*to set going*	*mettre en marche*
sich setzen	*to sit down, to take a seat*	*s'asseoir*
setzen Sie sich!	*sit down, take a seat*	*asseyez-vous!, prenez place!*

sich zu Tisch setzen	*to sit down to lunch/dinner*	*se mettre à table*
sich in den Wagen setzen	*to get into the car*	*monter en voiture*
sich	each other	se; soi
sie lieben sich	*they love each other*	*ils s'aiment*
'sicher → unsicher	sure; certain	sûr; certain
sicher (vor)	*safe (from)*	*à l'abri (de)*
es wird sicher regnen	*it's sure to rain*	*il va certainement pleuvoir*
sicher!	*certainly!*	*sûrement!*
sicher nicht	*certainly not*	*sûrement pas, bien sûr que non*
die 'Sicherheit /en	safety [place	la sûreté, la sécurité
in Sicherheit bringen	*to put in a safe*	*mettre en sûreté*
die Sicherheitsnadel	*safety-pin*	*l'épingle f de sûreté*
'sichtbar → unsichtbar	visible	visible
der 'Sieg es/e	victory	la victoire
sieht (3. pers sg präs v. sehen)		
das 'Silber s	silver	l'argent m
aus Silber	*made of silver*	*en argent*
sind (1., 3. pers pl präs v. sein)		
'singen a-u	to sing	chanter
ein Lied singen	*to sing a song*	*chanter une chanson*
falsch singen	*to sing out of tune*	*chanter faux*
'sinken a-u → steigen	to sink	s'abaisser
den Mut sinken lassen	*to lose courage*	*perdre courage*
die Preise sinken	*(the) prices are going down*	*les prix baissent*
der Sinn s/(e)	sense; meaning	le sens
die 5 Sinne	*the 5 senses*	*les 5 sens*
das hat keinen Sinn	*that doesn't make sense/there is no point in that*	*c'est absurde/inutile*
ganz in meinem Sinne	*just to my liking*	*tout à fait à mon gré*
im wahrsten Sinne des Wortes	*in the truest sense of the word*	*dans toute la force du terme*
im Sinn haben	*to have in mind*	*avoir en vue, avoir l'intention*

'sittlich → unsittlich	moral	moral
der Sitz es/e	seat	le siège; la place
'sitzen a-e	to sit	être assis
bleiben Sie sitzen!	*keep your seat(s), don't get up*	*restez assis!*
bei Tisch sitzen	*to sit at (the) table*	*être à table*
dieser Anzug sitzt gut	*this suit fits well*	*ce complet va bien*
die 'Sitzung /en	session, meeting	la séance
so	so; thus; that way; like this/that	ainsi; comme ça; de cette façon
so!	*that's that!; there!*	*voilà!*
so?	*indeed?*	*vraiment?*
so, so!	*well, well!*	*tiens, tiens!*
ach so!	*oh, I see!*	*ah! c'est ça!*
so ist es	*that's how it is*	*c'est (comme) ça*
und so weiter	*and so on*	*et ainsi de suite*
so siehst du aus!	*you don't say; that's just like you*	*penses-tu!*
so groß wie	*as big as*	*aussi grand que*
nicht so groß wie	*not so big as*	*(ne) pas si grand que*
und nicht so	*and not like that*	*et non pas ainsi*
die 'Socke /n	sock	la chaussette
so'eben/eben	just (now)	tout à l'heure
soeben erschienen	*just published*	*vient de paraître*
das 'Sofa s/s	sofa	le sofa
so'fort → später	at once; immediately, right away	tout de suite; sur-le-champ; aussitôt
so'gar	even; yet	même
soge'nannt	so-called; would-be, pretended	dit; soi-disant, prétendu
der Sohn es/ö-e	son	le fils
so'lange	while, as long as	tant que, aussi longtemps que
'solche(r,s)	such	tel, telle
ein solcher Mensch, solch ein Mensch	*such a man*	*un tel homme*
solche Menschen pl	*such people* pl	*de tels gens* pl
der Sol'dat en/en	soldier	le soldat
'sollen	to be to; to have to	devoir; falloir
ich soll morgen fahren	*I am to/should go tomorrow*	*je dois partir demain*
was (soll ich) tun?	*what am I to do?*	*que (dois-je) faire?*

sag ihm, er soll kommen	*tell him to come*	*dis-lui de venir*
sollten Sie ihn sehen	*if you should see him*	*si, par hasard, vous le voyez*
man sollte meinen	*one should think*	*on dirait*
ich sollte eigentlich arbeiten	*I ought to work*	*je devrais travailler*
er soll krank sein	*he is supposed to be ill*	*on dit qu'il est malade*
der 'Sommer s/-	summer	l'été m
im Sommer [vorbei	*in summer*	*en été*
der Sommer ist	*summer is over*	*l'été est passé*
'sonderbar	singular, strange	singulier,ère, étrange
'sondern (im Gegenteil)	but (on the contrary)	mais (au contraire)
nicht nur . . ., sondern auch	*not only . . ., but also*	*non seulement . . ., mais encore*
die 'Sonne /n	sun	le soleil
in der Sonne	*in the sun*	*au soleil*
ein Platz an der Sonne	*a place in the sun*	*une place au soleil*
die Sonne scheint	*the sun is shining*	*il fait (du) soleil*
die aufgehende/ untergehende Sonne	*the rising/setting sun*	*le soleil levant/ couchant*
die Sonne geht auf	*the sun is rising*	*le soleil se lève*
die Sonne geht unter	*the sun is setting*	*le soleil se couche*
im Sonnenschein	*in the sunshine*	*au soleil*
sonst	otherwise, or else; as a rule	autrement, sinon; d'ordinaire
was sonst noch?	*what else?, anything else?*	*et avec cela?*
sonst nichts	*nothing else*	*rien d'autre*
wie sonst	*as usual*	*comme de coutume*
was gibt es sonst Neues?	*any other news?*	*qu'y a-t-il encore de nouveau à part cela?*
die 'Sorge /n	care; sorrow, worry, trouble	le souci; la peine, l'ennui m
sich Sorgen machen (um)	*to be worried (about)*	*se faire du souci (pour)*
machen Sie sich keine Sorgen!	*don't worry*	*ne vous inquiétez pas!, tranquillisez-vous!*
[sein!		
laß das meine Sorge	*leave that to me*	*laisse-moi faire!*

'sorgen	to care (for), to look (after), to see (to)	prendre soin (de), veiller (à)
dafür sorge ich	I'll see to that	j'y veillerai
er sorgt für die Familie	he takes care of the family	il prend soin de la famille
sich sorgen (um)	to be uneasy, to worry (about)	être en peine (de), s'inquiéter (de)
'sorgfältig	with care; carefully	avec soin
so'viel → sowenig	as far as	autant, tant
doppelt soviel	twice as much	deux fois autant
soviel ich weiß	as far as I know	autant que je sache
soviel wie möglich	as much/often as possible	autant que possible
so viel/so viele	so much/so many	tant (de) [que
so'wie	as well as	ainsi que/aussi bien
sowie'so	in any case, anyhow/ anyway, as it is	en tout cas, de toute façon
die So'wjetunion, die UdSSR	the Soviet Union, the U.S.S.R.	l'Union soviétique, l'URSS f
so'wohl ... als auch	as well as	et ... et
sozi'al	social	social
sozu'sagen	so to speak	pour ainsi dire
'spalten → vereinen	to split; to divide [tighten	couper en deux; diviser
'spannen → lösen	to stretch; to	tendre; serrer
spannend	exciting; thrilling	captivant
gespannt sein (auf)	to be curious (about)	être curieux de savoir
die Spannung	tension; close attention	la tension; le vif intérêt, l'impatience f
'sparen	to save (up)/put by; to spare	épargner, mettre de côté, faire des économies
der Spaß es/ä-e → Ernst	fun; joke	le plaisir; la plaisanterie
aus/zum Spaß	for (the) fun (of it)	pour plaisanter, par plaisanterie
viel Spaß!	have a good time	beaucoup de plaisir!
Spaß beiseite!	joking apart!	plaisanterie à part!
es macht mir Spaß	I like it (a lot)	cela me fait plaisir
er versteht keinen Spaß	he cannot see a joke	il n'entend pas la plaisanterie
spaßig	funny	drôle, amusant

spät → früh/zeitig	late	tard
es ist spät	*it is late*	*il est tard*
es wird spät	*it's getting late*	*il se fait tard*
zu spät	*too late*	*trop tard*
wie spät ist es?	*what's the time?*	*quelle heure est-il?*
(5 Minuten) zu spät kommen	*to be (5 minutes) late*	*être en retard (de 5 minutes)*
spät nachts	*late at night*	*tard dans la nuit*
'später → sofort/früher	later (on)	plus tard
früher oder später	*sooner or later*	*tôt ou tard*
spa'zierenfahren/ -gehen	to take a drive/ walk, to go for a drive/walk	aller se promener, faire une promenade (en voiture)
der Spaziergang	*walk, stroll*	*la promenade, le tour*
einen Spaziergang machen	*to go for a walk*	*faire une promenade*
die 'Speise /n	food; dish	la nourriture; le plat
die Speisekarte	*menu*	*la carte*
der 'Spiegel s/-	mirror, (looking-) glass	le miroir, la glace
sieh in den Spiegel	*look (at yourself) in the mirror*	*regarde-toi dans la glace*
das Spiel s/e	play; game; match	le jeu; le match
wie steht das Spiel?	*what's the score?*	*où en est le match?*
der Spielplatz	*playground, playing-field*	*le terrain de jeu*
'spielen	to play	jouer
ein Spiel spielen	*to play a game*	*jouer à un jeu*
Karten spielen	*to play cards*	*jouer aux cartes*
ein Instrument spielen	*to play an instrument*	*jouer d'un instrument*
Geige spielen	*to play the violin*	*jouer du violon*
eine Rolle spielen	*to play/act a part*	*jouer un rôle*
einen Film spielen	*to show a film*	*passer un film*
spitz	pointed; sharp	pointu, en pointe; aigu, aiguë
die 'Spitze /n	point; head	la pointe; la tête
an der Spitze	*in the lead; ahead*	*en tête*
an der Spitze stehen	*to be at the head (of)*	*être à la tête (de)*
wer ist an der Spitze?	*who's at the head/ in the lead?*	*qui est à la tête?, qui est en tête?*
den Bleistift spitzen	*to sharpen the pencil*	*tailler le crayon*

der Sport s/Sport-   sport   le sport
arten
  Sport treiben   to go in for sport   faire du sport
  der Sportler   sportsman   le sportif
sprach (1., 3. pers sg
prät v. sprechen)
die 'Sprache /n   language; speech   la langue; la parole
  fremde Sprachen   foreign languages   les langues
                                                            étrangères
  lebende Sprachen   living languages   les langues
                                                            vivantes
  eine Sprache lernen to learn a language   apprendre une
                                                            langue
  eine Sprache sprechen   to speak a language   parler une langue
  er kann mehrere   he speaks several   il parle plusieurs
  Sprachen   languages   langues
'sprechen a-o/i   to speak   parler
  → schweigen
  deutsch sprechen   to speak German   parler allemand
  laut sprechen   to speak (in a) loud   parler haut/à haute
                                  (voice)   voix
  sprich lauter!   speak up   parle plus fort!
  leise sprechen   to speak (in a) low   parler bas/à voix
                                  (voice)   basse
  kein Wort sprechen   not to open o's   ne dire mot
                                  mouth
  ist Herr X zu   may I see Mr X?   peut-on voir M. X?
  sprechen?
  er wünscht Sie zu   he wishes to see you   il voudrait vous
  sprechen   parler
  wir sprechen deutsch   German spoken   on parle allemand
  bitte hier sprechen speak here   parlez ici
  hier spricht ...   this is ... speaking   ici ... à l'appareil
'springen a-u   to spring; to jump   sauter
  über einen Graben   to clear a ditch   sauter un fossé
  springen
  ins Wasser springen to jump into the   se jeter à l'eau
                                  water
  aus dem Bett springen   to jump out of bed   sauter à bas du lit
  in Stücke springen   to fall to pieces   voler en éclats
  die Scheibe ist   the pane is cracked   la vitre est fêlée
  gesprungen
  vor Freude springen to jump for joy   bondir de joie
  in die Augen springen   to strike the eye   sauter aux yeux

die Spur /en	trace	la trace
keine Spur!	*not a bit!, not at all!*	*pas du tout!*
keine Spur von ...	*not a trace of ...*	*pas l'ombre de ...*
auf die Spur kommen	*to find out*	*dépister*
der Staat s/en	state	l'Etat *m*
die Staatsangehörig-keit	*nationality*	*la nationalité*
der Staatsmann	*statesman*	*l'homme d'Etat*
das Staatsoberhaupt	*the head of the state*	*le chef de l'Etat*
der Stab s/ä-e	staff, stick	le bâton, la baguette
die Stadt /ä-e	town, city (of)	la ville (de)
die ganze Stadt	*the whole town*	*toute la ville*
in der Stadt	*in town*	*en ville*
in die Stadt gehen	*to go to town*	*aller en ville*
(die) Stadtmitte	*(town) centre*	*(le) centre (de la) ville*
eine Stadtrundfahrt	*a tour of the town*	*une visite de la ville*
der Stahl s/ä-e	steel	l'acier *m*
aus Stahl	*made of steel*	*en acier*
der Stall s/ä-e	stable; cow-shed	l'écurie *f*; l'étable *f*
der Stamm s/ä-e	trunk, stem; parent stock; tribe	le tronc; la race; la tribu
stand (1., 3. pers sg prät v. stehen)		
der Stand es/ä-e	position; profession	la place, la position; la profession
gut im Stande sein	*to be in good condition*	*être en bon état*
imstande/außerstande sein (zu)	*to be able/unable (to)*	*être en état/hors d'état (de)*
der 'Standpunkt es/e	point of view	le point de vue
auf dem Standpunkt stehen, daß	*to take the view that*	*être d'avis que*
stark/stärker/am stärksten → schwach	strong; great; powerful	fort; grand; puissant
das ist ein starkes Stück!	*that's a bit thick*	*c'est un peu fort!*
eine starke Erkältung	*a bad cold*	*un gros rhume*
die 'Stärke /n → Schwäche	strength; force; power	la force; la puissance
seine Stärke	*his strong point*	*son fort*
der Start s/e,s → Ziel/Landung	start; take-off	le départ; le démarrage; l'envol *m*

Start und Ziel	*start and finish*	*départ et arrivée*
Start frei!	*Clear for take-off!*	*Départ autorisé!*
'starten → ankommen/ landen	to start; to take off	partir; démarrer; décoller
'statt|finden a-u	to take place	avoir lieu
der Staub s/Staubteile	dust; powder	la poussière
Staub wischen	*to dust*	*ôter la poussière; épousseter*
der Staublappen	*duster*	*l'essuie-meubles* m
der Staubsauger	*vacuum-cleaner*	*l'aspirateur* m
'staunen (über)	to be astonished(at)	s'étonner (de)
'stechen a-o/i	to sting, to prick	piquer
'stehen a-a	to stand	être debout
die Uhr steht	*the watch has stopped*	*la montre est arrêtée*
wie steht's?	*how do you do?, how are you?*	*comment cela va-t-il?*
wie steht das Spiel?	*what's the score?*	*où en est le match?*
wie die Dinge stehen	*as things stand*	*dans ces circonstances*
offen stehen	*to be open*	*être ouvert*
das steht Ihnen gut	*it becomes you well*	*cela vous va bien*
wie steht es um ...?	*what about ...?*	*où en est ...?*
stehenbleiben	*to stop*	*s'arrêter*
nicht stehenbleiben!	*move on*	*ne pas stationner!*
'stehend	standing	debout
'stehlen a-o/ie	to steal	voler
'steigen ie-ie, **hi'n- auf|steigen** → fallen / sinken	to climb, to go up, to ascend	monter
herab-/hinabsteigen	*to climb/go down, to descend*	*descendre*
auf den Berg steigen	*to climb a mountain*	*monter sur/escalader une montagne*
in den Wagen steigen	*to get into the car*	*monter en voiture*
aufs Rad steigen	*to mount the bicycle*	*monter à bicyclette*
aus dem Wagen steigen	*to get out of the car*	*descendre de voiture*
die Preise steigen	*prices are rising*	*les prix montent/ augmentent*
der Stein s/e	stone	la pierre
aus Stein [(auf)	*made of stone*	*en pierre*
einen Stein werfen	*to throw a stone (at)*	*jeter une pierre (à)*
die Steinkohle	*hard coal*	*la houille*

die 'Stelle /n	place, spot; post, job	la place, l'endroit m; l'emploi m
auf der Stelle	on the spot, this minute, then and there	sur-le-champ, à l'instant (même)
an Stelle von	in place of	à la place de
von einer Stelle zur andern	from one place to another	d'une place à l'autre
ich an Ihrer Stelle	if I were you	si j'étais à votre place
eine Stelle erhalten	to get a post/job	obtenir un emploi
eine Stelle suchen	to look for a post	chercher un emploi
zur Stelle sein	to be present	être présent
an erster Stelle	in the first place	en premier lieu
an Ort und Stelle	on the spot	sur place
'stellen	to put; to place; to set; to provide	mettre; placer; poser; fournir
auf den Tisch stellen	to put on the table	poser sur la table
in die Ecke stellen	to put in the corner	mettre au coin
die Uhr stellen	to set the watch	mettre la montre à l'heure
leiser stellen	to turn down	baisser
anstellen	to turn on	faire marcher; ouvrir
abstellen	to turn off	arrêter; fermer
eine Aufgabe stellen	to set a task	donner une tâche
eine Frage stellen	to ask a question	poser une question
in Frage stellen	to call in question	mettre en question
sich dumm stellen	to play the fool	faire la bête
die 'Stellung /en	position; situation; condition, standing	la position; la situation; la condition
eine Stellung suchen	to look for a job	chercher une situation
'sterben a-o/i → geboren werden	to die; to pass away	mourir; décéder
der Stern s/e	star	l'étoile f; la vedette
unter einem guten Stern	under a lucky star	sous une bonne étoile
stets	always	toujours
still → laut	quiet; calm; silent	tranquille; calme; silencieux,se
(sei) still!	(keep) silent!, silence!, be quiet!	silence!, chut!, taisez-vous!

im stillen	*secretly*	*secrètement, en cachette*
still|stehen	*to stand still*	*ne pas bouger; s'arrêter*
die 'Stille	silence	le silence
die 'Stimme /n	voice; vote	la voix
mit lauter Stimme	*in a loud voice*	*à haute voix*
mit leiser Stimme	*in a low voice*	*à voix basse*
seine Stimme abgeben	*to cast o's vote*	*voter*
seine Stimme erheben	*to raise o's voice*	*élever sa voix*
'stimmen	to tune (up); to vote	accorder; voter
das Instrument stimmen	*to tune the instrument*	*accorder l'instrument*
stimmen (für|gegen)	*to vote (for| against)*	*voter (pour| contre)*
das stimmt	*that's right, that's correct*	*c'est juste, c'est exact*
das mag stimmen	*that may be so*	*c'est bien possible*
da stimmt etwas nicht	*there is something wrong here*	*il y a qc qui ne va pas*
er ist gut|schlecht gestimmt	*he is in (a) good| bad humour|mood*	*il est de bonne| mauvaise humeur*
die 'Stimmung /en	humour	l'humeur *f*
guter|schlechter Stimmung sein	*to be in a good|bad humour|mood*	*être de bonne| mauvaise humeur*
der Stock s/ö-e	stick; cane	le bâton; la canne
der Stock|das Stockwerk	*floor*	*l'étage m*
im zweiten Stock wohnen	*to live on the second floor*	*habiter au deuxième étage*
das Haus ist drei Stock hoch	*the house is three storeys high*	*la maison a trois étages*
ein zweistöckiges Haus	*a two-storey building*	*une maison à deux étages*
der Stoff s/e	material; cloth; subject (-matter)	la matière; l'étoffe *f*; le sujet
Stoff zu ...	*matter for ...*	*matière à ...*
stolz (auf)	proud (of)	fier, fière (de)
'stören	to trouble; to disturb	troubler; déranger
Bitte nicht stören!	*Please don't disturb!*	*Ne dérangez pas! Ne pas déranger, s'il vous plaît!*

lassen Sie sich nicht störn!	*don't let me disturb you!*	*ne vous dérangez pas!*
störe ich?	*am I disturbing you?*	*je vous dérange?*
stör mich nicht!	*don't bother me!*	*ne me dérange pas!*
'stoßen ie-o/ö	to push, to knock	pousser, heurter
die 'Strafe /n → Belohnung	punishment; fine	la punition; l'amende *f*
eine Strafe zahlen	*to pay a fine*	*payer une amende*
strafen	*to punish*	*punir*
der Strahl s/en	ray; beam	le rayon
die 'Straße /n	street; road	la rue; la route
auf der Straße	*in the street*	*dans la rue*
über die Straße gehen	*to cross the street*	*traverser la rue*
er wohnt Goethe-straße 30	*he lives at No. 30 Goethe street*	*il habite 30 rue Goethe*
die Straßenbahn	*tram, streetcar am*	*le tramway*
am Straßenrand	*by the road-side*	*au bord de la rue*
an der Straßenecke	*at the street-corner*	*au coin de la rue*
'streben (nach)	to strive (after)	chercher (à)
die 'Strecke /n	distance	la distance
eine Strecke zurück-legen	*to cover a distance*	*parcourir une distance*
'streichen i-i **(über)**	to stroke; to pass (over); to paint	passer (sur); rayer; peindre
von der Liste streichen	*to strike off the roll*	*rayer de la liste*
Frisch gestrichen!	*Wet paint!*	*Attention à la peinture!*
das 'Streichholz es/ö-er	match	l'allumette *f*
ein Streichholz anzünden	*to strike a match*	*frotter une allumette*
die Streichholz-schachtel	*matchbox*	*la boîte d'allumettes*
der Streit s/Streitig-keiten	quarrel	la querelle
Streit anfangen (mit)	*to start a quarrel (with)*	*chercher querelle (à*
den Streit beilegen	*to settle the quarrel*	*régler la querelle*
streiten	*to quarrel, to argue, to dispute (with)*	*se quereller, discu-ter, se disputer (avec)*
darüber läßt sich streiten	*that's open to question*	*c'est discutable*

streng	severe, strict	sévère, dur
streng sein (gegen)	*to be strict (with)*	*être dur (pour)*
Streng verboten!	*Strictly forbidden!*	*Strictement défendu!*
das Stroh s	straw	la paille
der Strom es/ö-e	(large) river; current	le fleuve; le courant
gegen den Strom	*against the current/tide*	*contre le courant*
mit dem Strom schwimmen	*to go with the tide*	*nager dans le sens du courant*
es regnet in Strömen	*it is pouring with [rain*	*il pleut à verse*
den Strom abschalten	*to turn off the current*	*interrompre le courant*
den Strom einschalten	*to turn on the current*	*fermer le circuit*
der Strumpf es/ü-e	stocking	le bas
die Strümpfe anziehen	*to put on o's stockings*	*mettre ses bas*
die Strümpfe ausziehen	*to take off o's stockings*	*ôter/enlever ses bas*
das Stück es/e	piece	le morceau; la pièce
ein Stück Brot	*a piece of bread*	*un morceau de pain*
ein Stück Papier	*a piece of paper*	*un bout de papier*
ein Stück Seife	*a cake of soap*	*une savonnette*
Stück für Stück	*piece by piece*	*morceau par morceau*
ein starkes Stück!	*that's a bit thick*	*c'est trop fort!*
in Stücke gehen	*to fall to pieces*	*tomber en morceaux*
in Stücke hauen	*to knock to pieces*	*mettre en morceaux*
was für ein Stück wird gegeben?	*what play is on?*	*quelle pièce joue-t-on?*
der Stu'dent en/en	student	l'étudiant m
stu'dieren	to study; to go to college	étudier; faire ses études
Geschichte studieren	*to study history*	*faire des études d'histoire*
er studiert in Berlin	*he is at college in Berlin*	*il fait ses études à Berlin*
das 'Studium s/ien	study, studies pl	l'étude f, les études pl
Studien treiben	*to study*	*poursuivre des études*
die 'Stufe /n	step; degree	la marche; le degré
Vorsicht, Stufe!	*Mind the step!*	*Attention à la marche!*
auf gleicher Stufe mit	*on a level with*	*au niveau de*

der **Stuhl** s/ü-e	chair	la chaise
die **'Stunde** /n	hour; lesson	l'heure *f*; le cours
eine halbe Stunde	*half an hour*	*une demi-heure*
anderthalb Stunden	*one hour and a half*	*une heure et demie*
stundenlang	*for hours (on end)*	*pendant des heures*
nach einer Stunde	*after an hour*	*au bout d'une heure*
zu jeder Stunde	*any time*	*à toute heure*
der **Sturm** s/ü-e	storm	la tempête
'stürzen → steigen	to fall	tomber, faire une chute
Nicht stürzen!	*This side up*	*Ne pas renverser!*
sich in Unkosten stürzen	*to go to great expense*	*se mettre en frais*
'suchen → finden	to seek, to look for	chercher
Verkäuferin gesucht	*shop-assistant wanted*	*on demande une vendeuse*
der **'Süden** s	south	le sud
im Süden (von)	*south (of)*	*au sud (de)*
in Süd . . .	*in South . . .*	*dans le sud de . . .*
nach Süden	*south(ward)*	*vers le sud*
die **'Summe** /n → Teil	sum	la somme
eine hohe Summe	*a large sum*	*une grosse somme*
die **'Suppe** /n	soup	la soupe; le potage
süß → sauer	sweet	doux,ce; sucré
es schmeckt süß	*it tastes sweet, it has a sweet taste*	*cela a un goût sucré*
Süßigkeiten pl	*sweets* pl	*sucreries* pl
das **Sy'stem** s/e	system	le système
die **'Szene** /n	scene	la scène

T

der **'Tabak** s/e	tobacco	le tabac [cachet
die **Ta'blette** /n	tablet	le comprimé, le
die **'Tafel** /n	table; (black)board	la table; le tableau (noir)
eine Tafel Schokolade	*a bar of chocolate*	*une tablette (de chocolat)*
an die Tafel schreiben	*to write on the blackboard*	*écrire au tableau*

der Tag es/e	day	le jour; la journée
eines Tages	one day, some day	un jour
am Tage	by day	(pendant) le jour
den ganzen Tag (lang)	all day (long)	(pendant) toute la journée
jeden Tag/alle Tage	every day	chaque jour
Tag für Tag	day after day	jour après jour
von Tag zu Tag	from day to day	de jour en jour
tags zuvor	the day before	la veille
am folgenden Tag	the next day	le lendemain
vor acht Tagen	a week ago	il y a huit jours
in acht Tagen	today week	dans huit jours
alle acht Tage	every week	tous les huit jours
in 14 Tagen	in a fortnight	dans quinze jours
guten Tag!	how do you do?, good morning/ afternoon	bonjour!
welchen Tag haben wir heute?	what's today?	quel jour sommes-nous aujourd'hui?
'täglich	daily	quotidien,ne; (de) chaque jour
das Tal s/ä-er → Berg	valley	la vallée
'tanken	to fill up [station	prendre de l'essence
die Tankstelle	garage, filling-	le poste d'essence
die 'Tante /n	aunt	la tante
der Tanz es/ä-e	dance	la danse
tanzen	to dance [case	danser [serviette
die 'Tasche /n	pocket; bag, brief-	la poche; le sac, la
in die Tasche stecken	to put in o's pocket	mettre dans sa poche
aus der Tasche holen	to take out of o's pocket	tirer de sa poche
das 'Taschen- tuch s/ü-er	handkerchief	le mouchoir
die 'Tasse /n	cup	la tasse
eine Tasse Kaffee	a cup of coffee	une tasse de café
eine Kaffeetasse	a coffee-cup	une tasse à café
aus der Tasse trinken	to drink out of a cup	boire dans une tasse
tat (1., 3. pers sg prät v. tun)		[le fait
die Tat /en	action, act; deed	l'action f, l'acte m;
in der Tat	in fact, indeed	en effet
in die Tat umsetzen	to put into practice	réaliser

'tätig	active	actif,ve
die Tätigkeit	activity	l'activité f
die 'Tatsache /n	fact	le fait
tat'sächlich	really, as a matter of fact	réellement, en effet
'tausend	a/one thousand	mille
zweitausend	two thousand	deux mille
Tausende von Menschen	thousands of people	des milliers de personnes
das 'Taxi s/s	taxi	le taxi
Taxi frei / besetzt	taxi for hire/hired	taxi libre/occupé
'technisch	technical	technique
der Tee s/Teesorten	tea	le thé; l'infusion f
Tee trinken	to have tea	prendre le thé
der Teil s/e	part; share	la partie; la part
zum Teil	in part, partly	en partie
zum größten Teil / größtenteils	for the most part	pour la majeure partie, pour la plupart
ich für mein Teil	for my part, as for me	pour ma part, quant à moi
das Ersatzteil	spare part	la pièce de rechange
'teilen → vereinen	to divide; to share	diviser; partager
durch 5 teilen	to divide by 5	diviser par 5
den Gewinn teilen	to share (in) the profit	partager le bénéfice
'teil|nehmen a-o/i (an)	to take part (in)	prendre part (à)
an einem Kurs teilnehmen	to take a course	suivre un cours
teils	in part, partly	en partie, partiellement
das Tele'fon s/e (s. Fernsprecher)	telephone	le téléphone
am Telefon	on the phone	au téléphone
der (Telefon)Anruf	(telephone-)call	le coup de téléphone/fil
das Telefonbuch	(tele)phone directory	l'annuaire m du téléphone
telefo'nieren	to (tele)phone, to ring up, to call up	téléphoner, appeler, donner un coup de
bleiben Sie am Apparat!	hold the line	ne quittez pas! [fil

das Tele'gramm s/e	telegram	le télégramme
der 'Teller s/-	plate	l'assiette f
vom Teller essen	to eat out of a plate	manger dans une assiette
die Tempera'tur /en	temperature	la température
Temperatur haben	to have a temperature	avoir/faire de la température
der 'Teppich s/e	carpet	le tapis
'teuer / teurer / am teuersten → billig	dear, expensive	cher, ère
wie teuer ist das?	how much is it?	combien cela coûte-t-il?
das ist (zu) teuer	that's (too) expensive	cela coûte (trop) cher, c'est (trop)
teuer bezahlen	to pay a lot (for)	payer cher [cher
das The'ater s/-	theatre	le théâtre
Ins Theater gehen	to go to the theatre	aller au théâtre
die Theaterkarte	theatre ticket	le billet de théâtre
tief → hoch/flach	deep; low	profond; bas,se
... ist 5 Meter tief	... is 5 metres deep	... a 5 mètres de profondeur [ment
tief schlafen	to sleep soundly	dormir profondé-
die Tiefe	depth	la profondeur
das Tier s/e	animal; beast	l'animal m; la bête
wilde Tiere	wild beasts	des bêtes sauvages
ein hohes Tier	a big noise	un gros bonnet, une grosse légume
der Tisch es/e	table	la table
bei Tisch	at table	à table
vor Tisch	before the meal	avant le repas
nach Tisch	after the meal	après le repas
bei Tisch sitzen	to be at (the) table	être à table
zu Tisch, bitte!	dinner is served/ ready!	à table, c'est servi!
sich zu Tisch setzen	to sit down to table	se mettre à table
den Tisch decken	to lay the table	mettre le couvert, mettre la table
reinen Tisch machen	to make a clean sweep (of it)	faire table rase
die 'Tochter /ö	daughter	la fille
der Tod es/Todesfälle → Geburt, Leben	death	la mort
sich zu Tode lang- weilen	to be bored to death	s'ennuyer à mort

die Toi'lette /n	lavatory, w. c.	le lavabo, les W. C.
toll	mad	fou (fol), folle
eine tolle Sache	*it's marvellous/ wonderful*	*c'est épatant*
der Ton s/ö-e	sound; tone	le son; le ton
der gute Ton	*good form*	*le bon ton*
den Ton angeben	*to set the tone*	*donner le ton*
das Tonband	*tape*	*la bande*
auf Tonband aufnehmen	*to record on tape*	*enregistrer sur bande*
das Tonbandgerät	*tape-recorder*	*le magnétophone*
der Topf s/ö-e	pot	le pot; la casserole
das Tor s/e	door, gate; goal	la porte; le but
ein Tor schießen	*to score a goal*	*marquer un but*
tot → lebendig	dead	mort
auf dem toten Punkt ankommen	*to reach a deadlock*	*être dans une impasse*
der 'Tote n/n → Lebende	dead man	le mort
die Toten pl	*the dead*	*les morts pl*
töten	*to kill*	*tuer*
'tragen u-a/ä	to carry; to wear; to bear	porter; supporter
eine Brille tragen	*to wear glasses*	*porter des lunettes*
Früchte tragen	*to bear fruit*	*porter des fruits*
der 'Traktor s/en	tractor	le tracteur
die 'Träne /n	tear	la larme
mit Tränen in den Augen	*with tears in o's eyes*	*les larmes aux yeux*
in Tränen ausbrechen	*to burst into tears*	*fondre en larmes*
der Traum s/äu-e	dream	le rêve; le songe
einen Traum haben	*to have a dream*	*faire un rêve*
träumen	*to dream*	*rêver*
'traurig → froh/freudig	sad	triste; navré
'treffen af-o/i	to hit; to meet	atteindre; rencontrer
es traf sich, daß	*it so happened that*	*il arriva que*
ich habe ihn zu Hause getroffen	*I found him at home*	*je l'ai trouvé chez lui*
sich treffen	*to meet*	*se rencontrer*
eine Verabredung treffen (mit)	*to have an appointment (with)*	*prendre (un) rendez-vous (avec)*
das trifft sich gut!	*that's lucky!*	*ça tombe bien!*
'treiben ie-ie	to practise	pratiquer
Sport treiben	*to go in for sport*	*faire du sport*

Handel treiben	to do business	faire du commerce
was treibst du?	what are you doing there?	que fais-tu?
'trennen → vereinen	to separate	séparer
sich trennen (von)	to separate (from)	se séparer (de)
die 'Treppe /n	stairs *pl*	l'escalier *m*
auf der Treppe	on the staircase	dans l'escalier
ich gehe die Treppe hinauf/hinunter	I am going upstairs/downstairs	je monte/descends l'escalier
'treten a-e/itt (auf)	to step, to tread (on)	faire un pas, marcher (sur)
er tritt ins Zimmer	he enters the room	il entre dans la pièce
er tritt aus dem Zimmer	he leaves the room	il sort de la pièce
er tritt ans Fenster	he goes to the window	il s'approche de la fenêtre
treten Sie näher!	step nearer	approchez!
an die Stelle treten (von)	to take the place (of)	prendre la place (de)
treu	faithful, true; loyal	fidèle; loyal
treu bleiben	to remain faithful/true (to)	rester fidèle (à)
'trinken a-u	to drink	boire
aus einem Glas trinken	to drink out of a glass	boire dans un verre
ich trinke gern Wein	I like wine	j'aime le vin
ich trinke lieber Wein als Bier	I would rather have wine than beer, I prefer wine to beer	j'aime mieux le vin que la bière
was trinken Sie?	what will you have (to drink)?	que prenez-vous?
der Tritt s/e	step	le pas
der Fußtritt	kick	le coup de pied
'trocken → naß/feucht	dry	sec, sèche
trocken aufbewahren	keep dry	tenir au sec
trocknen	to dry	sécher
der 'Tropfen s/-	drop	la goutte
tropfenweise	drop by drop	goutte à goutte
der Trost es/ö-ungen	comfort	le réconfort
das ist kein Trost (für mich)	that's no comfort (to me)	ce n'est pas une consolation (pour
trösten	to comfort	consoler [moi)

trotz 'alledem	(but) for all that	malgré tout (cela)
'trotzdem	all the same, nevertheless	quand même, tout de même
ich tu's trotzdem	*I'll do it all the same*	*je le ferai quand même*
das Tuch s/e, ü-er	cloth; scarf	le drap; le foulard
tun a-a	to do; to put	faire; mettre, placer
er tut nichts	*he does not do anything*	*il ne fait rien*
das tut nichts	*it doesn't matter*	*cela ne fait rien*
was soll ich tun?	*what's to be done?*	*que (dois-je) faire?*
zu tun haben (mit)	*to have business (with)*	*avoir affaire (à)*
das tut gut	*that's a comfort*	*cela fait du bien*
er tut nur so	*he is just pretending*	*il fait semblant*
die Tür /en	door	la porte; la portière
bitte Tür schließen!	*shut the door, please*	*fermez la porte, s'il vous plaît!*
bei verschlossenen Türen	*with the doors locked*	*les portes fermées*
an die Tür klopfen	*to knock at the door*	*frapper à la porte*
die Tür ist zu	*the door is closed*	*la porte est fermée*
die Tür ist angelehnt	*the door is (left) ajar*	*la porte est entr'ouverte*
die Tür ist offen	*the door is open*	*la porte est ouverte*
'turnen	to do gymnastics	faire de la gymnastique

U

'übel → wohl	evil, bad	mauvais
mir ist übel	*I feel sick*	*j'ai mal au cœur*
mir wird übel	*I am going to be sick*	*je me sens mal*
das ist nicht übel	*that's not bad*	*ce n'est pas mal*
wohl oder übel	*willy-nilly*	*bon gré, mal gré*
'üben	to exercise/train	exercer
sich üben	*to practise*	*s'exercer*
einen Beruf ausüben	*to practise a profession [am*	*exercer/pratiquer une profession*
'überall → nirgends	everywhere, all over	partout
von überall her	*from all sides*	*de partout*

über'haupt	generally (speaking), on the whole; at all; besides	d'une façon générale, en somme, de toute façon; d'ailleurs
überhaupt nicht	*not at all*	*pas du tout, nullement*
überhaupt nichts	*nothing at all*	*rien du tout*
über'holen	to pass	dépasser, doubler
Nicht überholen!	*Do not pass!*	*Défense de doubler*
'übermorgen	the day after tomorrow	après-demain
über'queren	to cross	traverser
die Straße über- queren	*to cross the road*	*traverser la rue*
über'raschen	to surprise	surprendre
die Überraschung	*surprise*	*la surprise*
zu meiner Über- raschung	*to my surprise*	*à ma surprise*
über'setzen	to translate	traduire
ins Deutsche über- setzen	*to translate/render into German*	*traduire en allemand*
die Übersetzung	*translation*	*la traduction*
über'zeugen	to convince	convaincre
'übrig	left (over), remaining, rest of	restant, de reste; qui reste
das übrige Geld	*the rest of the money*	*le reste de l'argent*
die übrigen Menschen	*the rest of the people, the others*	*le reste des hommes, les autres hommes*
ich habe Geld übrig	*I have some money left*	*il me reste de l'argent*
übrig sein/übrig- bleiben	*to be left*	*rester*
es ist nichts übrig- geblieben	*there is nothing left*	*il n'est rien resté*
übriglassen	*to leave (over)*	*laisser*
laß mir was übrig	*leave me s.th.*	*laisse-moi qc*
'übrigens	besides, by the way	du reste, d'ailleurs
die 'Übung /en	exercise, practice	l'exercice *m*, la pratique
das 'Ufer s/-	bank, shore	la rive, le bord
am Ufer	*ashore, on shore*	*au bord*
am rechten Ufer	*on the right bank*	*sur la rive droite*

die Uhr /en	watch; clock; hour *am*	la montre (-bracelet); l'horloge *f*; l'heure *f*
die Uhr aufziehen	*to wind up the watch*	*remonter la montre*
auf die Uhr sehen	*to look at o's watch*	*regarder la montre*
meine Uhr geht nicht	*my watch has stopped*	*ma montre ne marche pas*
meine Uhr geht richtig	*my watch keeps good time*	*ma montre va bien*
meine Uhr geht vor / nach	*my watch is fast/ slow*	*ma montre avance/ retarde*
wieviel Uhr ist es?	*what time is it?*	*quelle heure est-il?*
es ist 3 Uhr	*it is 3 o'clock*	*il est 3 heures*
gegen 6 (Uhr)	*about 6 (o'clock)*	*vers 6 heures*
Punkt 6 (Uhr)	*6 o'clock sharp*	*à 6 heures précises*
Punkt 12 (Uhr)	*at noon sharp*	*à midi juste/précis*
es ist halb 6 (Uhr)	*it is half past 5*	*il est 5 heures et demie*
um 6 (Uhr)	*at 6 (o'clock)*	*à 6 heures*
um wieviel Uhr?	*at what time?*	*à quelle heure?*
'um|bringen a-a	to kill	tuer, faire mourir
der 'Umfang s/ä-e	extent	l'étendue *f*
um'geben a-e/i **(mit)**	to surround (with)	entourer (de)
die Umgebung	*surroundings* pl	*les environs* pl
um'her	about, around	(tout) autour
'umkehren	to return, to turn back	retourner, faire demi-tour
umgekehrt	*reverse; opposite; vice versa*	*renversé; inverse; vice versa*
umgekehrt!	*just the other way (round)!*	*au contraire!*
(die) 'Umleitung /en	diversion	(la) déviation; route déviée
um'sonst	in vain; for nothing, free	en vain; pour rien, gratis
alles war umsonst	*everything was useless*	*tout fut inutile*
der 'Umstand s/ä-e	circumstance	la circonstance
unter diesen Um- ständen	*under these circumstances*	*dans ces circonstances*
unter Umständen	*possibly*	*le cas échéant*

unter keinen Umständen	*on no account*	*en aucun cas*
machen Sie keine Umstände!	*don't make a fuss!*	*ne faites pas de façons!*
'um|steigen ie-ie	to change (train, line)	changer (de train, de ligne), prendre la correspondance
'unbedingt	definitely, absolutely	absolument
und so 'weiter (usw.)	and so on (etc.)	et ainsi de suite (etc.)
der 'Unfall s/ä-e	accident	l'accident *m*
ein schwerer Unfall	*a serious accident*	*un accident grave*
bei einem Unfall	*in an accident*	*dans un accident*
'ungefähr → genau	about, roughly	à peu près
ungefähr 100	*a hundred or so*	*environ 100*
ungefähr eine Woche	*a week or so*	*une semaine environ*
'ungesund → gesund	unhealthy	malsain
das 'Unglück s/ Un- glücksfälle → Glück	misfortune	le malheur [chance
Unglück haben	*to be unlucky*	*ne pas avoir de*
es ist ein Unglück geschehen	*there's been an accident*	*il y a eu un accident*
unglücklich	*unhappy; unfortunate*	*malheureux,se; infortuné*
'unmittelbar/direkt	directly; immediate	directement; immédiat
un'möglich	impossible	impossible
der 'Unsinn s	nonsense	le non-sens
Unsinn!	*nonsense!, rubbish!*	*allons donc!*
mach keinen Unsinn!	*stop fooling (about)!*	*ne fais pas de bêtises!*
'unten → oben	below, beneath	en bas; au-dessous
da unten	*down there*	*là-bas*
hier unten	*down here*	*là en-bas*
unten auf der Seite	*at the bottom of the page*	*au bas de la page*
'unter 'anderem (u.a.)	among other things	entre autres
unter uns	*between you and me*	*entre nous*
unter Null	*below zero*	*au-dessous de zéro*
unter'brechen a-o/i → fortfahren, fort- setzen	to interrupt	interrompre

'unter|gehen i-a → aufgehen
to go down; to set; to sink
se coucher; couler

die untergehende Sonne
the setting sun
le soleil couchant

die Sonne ist untergegangen
the sun has set
le soleil s'est couché

unter'halten ie-a/ä
to entertain
entretenir

die Familie unterhalten
to maintain the family
nourrir la famille

sich unterhalten
to talk to each other
s'entretenir

sich gut unterhalten
to enjoy o.s., to have a good time
s'amuser

haben Sie sich gut unterhalten?
did you have a nice time?
vous vous êtes bien amusé?

die Unter'haltung /en
conversation
la conversation

unter'nehmen a-o/i
to undertake
entreprendre

das Unternehmen
firm, enterprise
l'entreprise f

der 'Unterricht s
instruction; teaching; classes
l'instruction *f*; l'enseignement *m*; la classe

Unterricht haben
to be at school
avoir classe

unter'scheiden ie-ie
to distinguish
distinguer

sich unterscheiden (von)
to differ (from)
se distinguer (de)

der 'Unterschied s/e
difference
la différence

ein großer Unterschied
a big difference
une grande différence

ohne Unterschied
alike
sans distinction

einen Unterschied machen
to make a distinction
faire une différence

unter'schreiben ie-ie
to sign
signer

mit seinem Namen unterschreiben
to sign o's name
signer de son nom

die Unterschrift
signature
la signature

unter'suchen
to examine
examiner

einen Kranken untersuchen
to examine a patient
examiner un malade

die Unter'suchung /en
test
l'examen *m*; la consultation

eine ärztliche Untersuchung
a physical examination
un examen médical, une consultation

'unvergleichlich
incomparable, without comparison
incomparable

'unzufrieden (mit) → zufrieden	discontented (with)	mécontent (de)
der 'Urlaub s/e	holiday/vacation/ leave	le congé; les vacances *f pl*
*auf	im Urlaub*	*on holiday| vacation|leave*	*en congé*
Urlaub haben	*to be on holiday| vacation|leave*	*avoir congé, être en congé|en vacances*
die 'Ursache /n → Wirkung	cause; reason	la cause; la raison
keine Ursache!	*don't mention it*	*pas de quoi!*
der 'Ursprung s/ü-e	origin	l'origine *f*
das 'Urteil s/e	judg(e)ment	le jugement
urteilen	*to judge*	*juger*
urteilen Sie selbst!	*judge for yourself*	*à vous de juger*
die USA, die Ver- einigten Staaten (von Amerika) / *pl*	the U.S.(A.)/the United States (of America)	les U.S.A./les Etats-Unis (d'Amérique)

V

der 'Vater s/ä	father	le père
ver'ändern/sich ver- 'ändern	to change	changer
er hat sich sehr verändert	*he has changed a good deal*	*il a beaucoup changé*
die Veränderung	*change*	*le changement*
ver'bergen a-o/i → zeigen	to conceal, to hide	cacher
im verborgenen	*in secret*	*en secret*
ver'bessern	to improve; to correct	améliorer; corriger
ver'bieten o-o → erlauben	to forbid	défendre, interdire
verboten	*forbidden, prohibited*	*défendu, interdit*
es ist verboten (zu)	*. . . (is) prohibited*	*il est interdit (de)*
Betreten verboten!	*Keep off! No trespassing!*	*Interdit au public!*
Eintritt verboten!	*No entry*	*Défense d'entrer*
Rauchen verboten!	*No smoking*	*Défense de fumer*
ver'binden a-u → trennen	to connect, to combine	(re)lier; (ré)unir

verbinden Sie mich mit ...	*put me on to ...*	*donnez-moi ...*
falsch verbunden	*wrong number*	*il y a erreur*
eine Wunde verbinden	*to dress a wound*	*panser une blessure*
ich bin Ihnen sehr verbunden	*I am greatly obliged to you*	*je vous suis très obligé*
die Ver'bindung /en	union; connection	la liaison; la (ré)union; la communication
sich in Verbindung setzen (mit)	*to get in touch (with)*	*entrer en contact (avec)*
in Verbindung bleiben (mit)	*to keep in touch (with)*	*rester en contact (avec)*
in Verbindung stehen (mit)	*to be connected (with)*	*être en contact/ relation (avec)*
das Ver'brechen s/-	crime	le crime
der Verbrecher	*criminal*	*le criminel*
ver'breiten	to spread	répandre
ver'brennen a-a	to burn	brûler
Papier verbrennen	*to burn (up) paper*	*brûler du papier*
sich die Finger verbrennen	*to burn o's fingers*	*se brûler les doigts*
ver'bringen a-a	to spend, to pass	passer
das Wochenende verbringen	*to spend the week-end*	*passer le week-end [(à)*
die Zeit verbringen	*to pass the time*	*passer son temps*
ver'derben a-o/i	to spoil, to ruin	gâter, ruiner
jdm die Freude verderben	*to spoil s.o's pleasure/fun*	*gâter le plaisir de qn*
sich den Magen verderben	*to upset o's stomach*	*attraper une indigestion*
ver'dienen	to earn; to deserve	gagner; mériter
sein Brot verdienen	*to earn o's living*	*gagner sa vie*
das hat er nicht verdient	*he hasn't deserved that*	*il n'a pas mérité cela*
ver'einen/ver'einigen →trennen/teilen	to unite; to unify	(ré)unir; unifier
die Vereinigten Staaten	*the United States*	*les Etats Unis*
das Ver'fahren s/-	process	le procédé
ver'folgen	to pursue	poursuivre
seinen Weg verfolgen	*to go o's way*	*suivre son chemin*
ver'gangen (part perf v. vergehen)		

die Ver'gangenheit	past	le passé
ver'gebens	in vain	en vain
vergebens suchen	*to search/seek in vain*	*avoir beau chercher*
ver'gehen i-a	to pass by	passer
schnell vergehen	*to go by quickly*	*passer vite*
vergangenes Jahr	*last year*	*l'année f dernière/ passée*
die Lust dazu ist mir vergangen	*I have lost all liking for it*	*j'en ai perdu l'envie*
ver'gessen aß-e/iß	to forget	oublier
→ sich erinnern		
ver'gleichen i-i	to compare	comparer
verglichen mit	*compared to*	*en comparaison de*
das Ver'gnügen s/-	pleasure	le plaisir
mit Vergnügen	*gladly*	*avec plaisir*
viel Vergnügen!	*have a good time!*	*amusez-vous bien!*
Vergnügen finden an	*to find pleasure (in)*	*prendre plaisir (à)*
vergnügt	*gay, joyous*	*gai; joyeux,se,*
ver'haften	to arrest	arrêter
das Ver'hältnis sses/ sse	relation; proportion	le rapport, la rela- tion; la proportion
im Verhältnis zu	*with regard to, in proportion to*	*par rapport à, en proportion de*
die Ver'handlung /en	negotiation	la négociation
in Verhandlungen treten	*to enter into negotiations*	*entamer des négociations*
ver'heiratet → ledig	married	marié
der Ver'kauf s/äu-e → Kauf	sale	la vente
zum Verkauf anbieten	*to offer for sale*	*mettre en vente*
ver'kaufen → (ein)kaufen	to sell	vendre
zu verkaufen	*for sale, to be sold*	*à vendre*
teuer verkaufen	*to sell at a profit*	*vendre cher*
ausverkauft	*sold out*	*épuisé*
der Verkäufer	*salesman, seller; shop-assistant*	*le vendeur*
der Ver'kehr s	traffic	la circulation
das Verkehrsbüro	*tourist agency*	*l'office m du tourisme, le syndicat d'initiative*
der Verkehrsunfall	*road accident*	*l'accident m de la route*

ver'langen	to ask (for), to want, to demand	demander, exiger, réclamer
→ gewähren		
Sie werden am Telefon verlangt	*you are wanted on the (tele)phone*	*on vous demande au téléphone*
auf Verlangen	*on demand*	*sur demande*
ich habe kein Verlangen (zu)	*I don't long for, I feel no desire (to)*	*je n'ai pas envie (de)*
ver'lassen ie-a/ä	to leave	quitter; abandonner
→ bleiben / betreten		
sich verlassen (auf)	*to depend (on), to trust (in)*	*compter (sur); s'en remettre (à)*
verlassen Sie sich darauf!	*take it from me!*	*vous pouvez vous y attendre; comptez sur moi*
[*dich*		
ich verlaß mich auf	*I rely on you*	*je m'en remets à toi*
ver'letzen	to hurt, to injure	blesser
sich verletzen	*to hurt/injure o.s.*	*se blesser*
verletzt sein	*to be hurt*	*être blessé; avoir une blessure*
seine Pflicht verletzen	*to fail in o's duty*	*manquer à son devoir*
ver'lieren o-o	to lose	perdre
→ finden / gewinnen		
seine Zeit verlieren	*to waste o's time*	*perdre son temps*
der Verlust	*loss*	*la perte*
ein schwerer Verlust	*a heavy loss*	*une grosse perte*
einen Verlust erleiden	*to suffer a loss*	*essuyer une perte*
ver'meiden ie-ie	to avoid	éviter
es läßt sich nicht vermeiden	*it cannot be helped*	*c'est inévitable*
das Ver'mögen s/-	fortune	la fortune
ein Vermögen verdienen	*to make a fortune*	*gagner une fortune* [(de)
ver'muten	to suppose, to guess	supposer; se douter
vermutlich	*presumable*	*probable*
er kommt vermutlich	*I suppose he'll come*	*je pense qu'il viendra*
ver'nichten → erzeugen/erhalten	to destroy	détruire
ver'nünftig	reasonable	raisonnable
vernünftig reden	*to talk sense*	*parler raison*
ver'passen	to miss	manquer
→ erreichen		

ich habe den Zug verpaßt	*I've missed the train*	*j'ai manqué le train*
ver'pflichten (zu)	to oblige (to); to engage	obliger (à); engager (à)
sich verpflichten (zu)	*to bind o.s. (to)*	*s'engager (à)*
zu Dank verpflichtet	*obliged*	*obligé*
ver'rückt	mad, crazy	fou (fol), folle
wie verrückt	*like mad*	*comme (un) fou*
eine verrückte Idee	*a crazy idea*	*une folie*
ver'sammeln	to gather, to assemble	rassembler
sich versammeln	*to meet*	*se rassembler*
die Versammlung	*meeting*	*l'assemblée f; la réunion*
eine Versammlung abhalten	*to hold a meeting*	*tenir une réunion*
eine Versammlung besuchen	*to attend a meeting*	*assister à une réunion*
ver'schieden → gleich	different; diverse	différent; divers
das ist verschieden	*that depends*	*cela dépend*
verschieden sein	*to differ*	*différer*
verschiedenemal	*repeatedly*	*à plusieurs reprises*
ver'schließen o-o → öffnen	to close; to lock	fermer (à clef)
ver'schwinden a-u → erscheinen	to disappear	disparaître
das Ver'sehen s/-	error, mistake	l'erreur f
aus Versehen	*by mistake*	*par erreur*
ver'sichern	to assure	assurer
die Versicherung	*assurance; insurance*	*l'assurance f*
ver'sprechen a-o/i	to promise	promettre
das Versprechen	*promise*	*la promesse*
sein Versprechen halten	*to keep o's promise*	*tenir sa promesse*
der Ver'stand es	understanding	l'intelligence f
den Verstand verlieren	*to lose o's mind*	*perdre la raison*
der gesunde Menschenverstand	*common sense*	*le bon sens*
ver'standen (part perf v. verstehen)		
ver'stecken → zeigen	to hide	cacher
sich verstecken	*to hide o.s.*	*se cacher*

ver'stehen a-a — to hear; to understand; to see — entendre; comprendre

ich habe (es) nicht verstanden — *I didn't hear (you), I didn't understand you* — *je n'ai pas entendu*

ich habe das Wort nicht verstanden — *I didn't catch the word* — *je n'ai pas compris le mot*

ich verstehe! — *I see!* [saying that goes without] — *je comprends!*

das versteht sich — *that goes without* — *cela va sans dire*

was verstehen Sie unter ...? — *what do you mean by ...?* — *qu'entendez-vous par ...?*

verstehen Sie Deutsch? — *do you understand German?* — *comprenez-vous l'allemand?*

falsch verstehen — *to misunderstand* — *mal comprendre*

der Ver'such s/e — attempt; experiment — l'essai *m*; l'expérience *f*

ver'suchen — to attempt, to try — essayer

den Wein versuchen — *to taste the wine* — *goûter le vin*

ver'teidigen — to defend — défendre

→ *angreifen*

die Verteidigung — *defence* — *la défense*

das Ver'trauen s — confidence, trust — la confiance

Vertrauen haben (zu) — *to have confidence (in), to trust* — *avoir confiance (en)*

ver'ursachen — to cause; to raise — causer; provoquer

ver'vollständigen — to complete — compléter

(sich) ver'wandeln — to change/transform — (se) changer/transformer

ver'wandt (mit) — related (to) — parent (de)

wir sind verwandt — *we are related* — *nous sommes parents*

der Verwandte — *relative* — *le parent*

ver'wechseln (mit) — to confuse (with) — confondre (avec)

ver'weigern — to refuse — refuser

ver'wenden — to apply, to use — employer

viel Mühe verwenden (auf) — *to go to much trouble (to)* — *consacrer bien de la peine (à)*

viel Zeit verwenden (auf) — *to devote much time (to)* — *consacrer beaucoup de temps (à)*

etw gut verwenden — *to make good use of s.th.* — *faire bon usage de qc*

ver'wirklichen — to realize — réaliser

seine Pläne verwirklichen — *to realize o's plans* — *réaliser ses projets*

ver'wirren → ordnen	to confuse	embarrasser, troubler
verwirrt	*confused*	*confus*
ver'wunden	to wound	blesser
das Ver'zeichnis ses/ se	list	la liste
ver'zeihen ie-ie	to forgive	pardonner
*verzeihen Sie!	Verzeihung!*	*I beg your pardon!, excuse me!, sorry!*	*(je vous demande) pardon!*
um Verzeihung bitten	*to ask (s.o.'s) pardon*	*demander pardon (à)*
ver'zollen	to pay duty (on)	payer la douane
haben Sie etw zu verzollen?	*have you anything to declare?*	*avez-vous qc à déclarer?*
das Vieh s	cattle; beast	le bétail; la bête
viel/mehr/am meisten → wenig	much	beaucoup (de); bien des choses
nicht viel	*not much*	*pas grand'chose, pas beaucoup*
sehr viel	*a great deal (of)*	*beaucoup (de)*
ziemlich viel	*a good deal (of)*	*pas mal (de), assez (de)*
zuviel	*too much*	*trop (de)*
wieviel?	*how much?*	*combien (de)?*
vielen Dank!	*many thanks!*	*merci beaucoup/ bien!*
viel Glück!	*good luck!*	*bonne chance!*
viel Vergnügen!	*have a good time!*	*amusez-vous bien!*
'viele → wenige	many	beaucoup (de)
sehr viele	*a great many*	*bien (des)*
wie viele Male?	*how often?*	*combien de fois?*
so viele Bücher	*as/so many books*	*tant de livres*
viel'leicht → bestimmt	perhaps, maybe	peut-être
'vielmals	many times, often	bien des fois
danke vielmals!	*many thanks!*	*merci beaucoup!*
'vielmehr	rather; on the contrary	plutôt; au contraire
das 'Viertel s/-	quarter	le quart; le quartier
*es ist viertel zwei	ein Viertel nach eins*	*it is a quarter past one*	*il est une heure et quart*
*es ist dreiviertel zwei	ein Viertel vor zwei*	*it is a quarter to two*	*il est deux heures moins le quart*
ein Viertel ('|₄)	*a quarter (of)*	*un quart*

dreiviertel ($^3/_4$)	*three quarters (of)*	*trois quarts*
ein(und)einviertel	*one and a quarter*	*un un quart*
($1^1/_4$)		
ein Vierteljahr	*three months, a*	*trois mois, un*
	quarter of a year	*trimestre*
eine Viertelstunde	*a quarter of an*	*un quart d'heure*
	hour	
der 'Vogel s/ö	bird	l'oiseau *m*
das Volk s/ö-er	people, nation	le peuple, la nation
volkstümlich	*popular*	*populaire*
voll → leer/hohl	full (of)	plein (de)
voll Wasser	*filled with water*	*plein d'eau*
voll(er) Ideen	*full of ideas*	*plein d'idées*
die volle Summe	*the entire sum*	*la somme entière*
voll besetzt	*full up, occupied*	*complet,ète;*
		comble
voll'enden	to complete; to	achever; accomplir
	accomplish	
vollends	*entirely, wholly*	*entièrement, tout à*
		fait [tièrement
'völlig → kaum	fully, completely	complètement, en-
das genügt völlig	*that's quite enough*	*cela suffit*
		absolument
voll'kommen	perfect, complete	parfait, complet
ich verstehe voll-	*I understand quite*	*je comprends*
kommen	*well*	*parfaitement*
'vollständig	complete, entire	complet,ète;
		entier,ère
vor 'allem	above all	avant tout, surtout
vor 'kurzem	recently, the other	dernièrement,
	day	l'autre jour
vor 8 Tagen	*a week ago*	*il y a huit jours*
vor einiger Zeit	*some time ago*	*il y a quelque*
		temps
vor langer Zeit	*a long time ago*	*il y a longtemps*
es ist 10 vor eins	*it's 10 to one*	*il est une heure*
		moins 10
vo'raus → zurück	ahead	en avant
im voraus	*in advance*	*d'avance, en avant*
geh voraus!	*lead on*	*passe devant!*
vorausgesetzt (daß)	*provided (that)*	*supposé (que)*
vor'bei	along, past; over,	devant, à côté;
	past	passé, fini
er ging an mir vorbei	*he passed me by*	*il passa devant moi*

'vor|bereiten (auf)	to prepare (for)	préparer (à)
die 'Vorderseite /n → Rückseite	front (side)	le front, le devant
die 'Vorfahrt	priority, right of way	la priorité
er hat Vorfahrt	*he has the right of way*	*il a (la) priorité*
'vorgestern	the day before yesterday	avant-hier
vor'handen	existing; present, at hand *[hand*	existant; présent
vorhanden sein	*to exist; to be at*	*exister, se trouver*
der 'Vorhang s/ä-e	curtain	le (double) rideau
den Vorhang auf-/zu-ziehen	*to open/draw the curtain*	*ouvrir/tirer le rideau*
'vorher → hinterher	before, beforehand, in advance	avant, auparavant, à l'avance, d'avance
kurz vorher	*a short while before*	*peu de temps avant*
am Tag vorher	*the day before*	*la veille*
'vorhin	just now, a little while ago	tout à l'heure, tantôt
'vorig	last	passé; dernier,ère
voriges Jahr	*last year*	*l'année f passée/ dernière*
'vorläufig	for the time being	pour le moment
der 'Vormittag s/e	morning, forenoon	la matinée
am Vormittag / vor-mittags	*in the morning, a. m.*	*le matin, dans la matinée*
heute vormittag	*this morning*	*ce matin, aujour-d'hui dans la matinée*
vorn(e) → hinten	in front, at the head	devant; avant
nach vorn	*forward*	*en avant*
von vorn	*from the front; anew*	*par devant; de nouveau*
der 'Vorname ns/n	Christian name	le prénom
der 'Vorrat s/ä-e	provision, supply	la provision
vorrätig	*in store/stock*	*en stock*
'vor|rücken	to advance	avancer
der 'Vorschlag s/ä-e	proposal	la proposition
vorschlagen	*to propose*	*proposer*
die 'Vorsicht	caution, care	la précaution, le soin
Vorsicht!	*Caution!, Take care!, Look out!*	*Attention!, Prenez garde!, Gare!*

vorsichtig	*careful*	*avec précaution, prudent*
der 'Vorsitzende n/n	president, chairman	le président
'vor|stellen	to present, to introduce; to represent	présenter; représenter
ich stelle Sie ihr vor	*I'll introduce you to her*	*je vous présenterai à elle*
sich (etw) vorstellen	*to imagine (s.th.)*	*s'imaginer (qc)*
die 'Vorstellung /en	performance	la représentation
Beginn der Vorstellung um ...	*the performance begins at ..., the curtain will rise at ...*	*début de la séance à ..., lever du rideau à ...*
der 'Vorteil s/e	advantage	l'avantage *m*, l'intérêt *m*
Vorteil haben (von)	*to benefit (from)*	*bénéficier (de), tirer parti (de)*
vo'rüber	past	passé
vorübergehen (an)	*to pass (by)*	*passer (devant)*
'vorwärts → rückwärts	forward	en avant
vorwärts!	*go ahead!, let's go!*	*en avant!, partons!, en route!*
'vor|ziehen o-o	to prefer; to like better	préférer; aimer mieux
vor'züglich	excellent	excellent

W

die 'Waage /n	balance, scales	la bascule, la balance
auf die Waage legen	*to put on the scales*	*mettre dans la balance*
wach	awake	éveillé
wach werden	*to wake up*	*s'éveiller*
wachen	*to wake*	*veiller*
bei einem Kranken wachen	*to sit up with a sick person*	*veiller un malade*
'wachsen u-a/ä	to grow; to increase	croître; grandir; pousser; s'accroître
die 'Waffe /n	weapon, arm(s)	l'arme *f*
unter Waffen	*under arms*	*sous les armes*
zu den Waffen greifen	*to take up arms*	*prendre les armes*

'**wagen** — to dare, to risk — oser, risquer
 sein Leben wagen — *to risk o's neck* — *risquer sa vie*
der '**Wagen** s/- — carriage; car — la voiture
 mit dem Wagen fahren — *to go by car* — *aller en voiture*
 seinen Wagen parken — *to park o's car* — *ranger sa voiture*
 er hat seinen eigenen Wagen | selbst einen Wagen — *he has a car of his own* — *il a sa voiture personnelle*
 der Lastwagen — *lorry* — *le camion*
die **Wahl** /en — choice; election — le choix; l'élection *f*
 seine Wahl treffen — *to take o's choice* — *faire son choix*
 ich habe keine Wahl — *I have no choice* — *je n'ai pas le choix*
'**wählen** — to choose; to elect — choisir; élire
 die Nummer wählen — *to dial the number* — *composer son numéro*
wahr — true, real — vrai, véritable
 nicht wahr? — *isn't it?, is it not so?, don't you think so?* — *n'est-ce pas?, pas vrai?*
 wahr machen — *to make s. th. come true* — *réaliser*
 wahr werden — *to come true* — *se réaliser*
die '**Wahrheit** /en — truth — la vérité
 → Lüge
 in Wahrheit — *in truth, in reality* — *en vérité, en réalité*
 die Wahrheit sagen — *to tell the truth* — *dire la vérité*
wahr'scheinlich — likely, probable, probably — vraisemblable(ment), probable(ment)
 wahrscheinlich kommt er heute (nicht) — *he is (un)likely to come today* — *il (ne) viendra vraisemblablement (pas) aujourd'hui*
der **Wald** es/ä-er — forest, wood(s) — la forêt, le bois
die **Wand** /ä-e — wall, side — le mur; la paroi
 in seinen vier Wänden — *at home* — *chez soi*
'**wandern** — to wander, to walk; to hike/go hiking — faire une excursion (à pied), marcher
die '**Wange** /n — cheek — la joue
 rotwangig — *rosy-cheeked* — *aux joues rouges*
wann — when — quand
 wann kommst du? — *when will you come?* — *quand viendras-tu?*

bis wann?	till when?, by what time?	jusqu'à quand?
seit wann?	how long?, since when?	depuis quand?
wann auch immer	whenever	n'importe quand
dann und wann	now and then/again	de temps à autre
wann sind Sie geboren?	when were you born?	quand êtes-vous né?
war, 'waren (1., 3. pers sg, pl prät v. sein)		
die 'Ware /n	merchandise, goods, wares; article	la marchandise, l'article m
das Warenhaus	stores pl	le grand magasin
warm/wärmer/am wärmsten → kalt	warm	chaud
es ist warm	it is warm	il fait chaud
mir ist warm	I am warm	j'ai chaud
es wird warm	it is getting warm	il commence à faire chaud
sich wärmen	to warm o.s.	se (ré)chauffer
die 'Wärme → Kälte	warmth	la chaleur
'warnen (vor)	to warn (of, against)	avertir (de)
Vor Taschendieben wird gewarnt!	Beware of pickpockets!	Prenez garde aux pickpockets!
'warten (auf) → weggehen/weglaufen	to wait (for)	attendre
warten lassen	to keep s.o. waiting	faire attendre
auf sich warten lassen	to be long in coming	se faire attendre
wa'rum	why	pourquoi
warum nicht?	why not?	pourquoi pas?
was	what	quoi, que, qu'est-ce qui/que?
was ist das?	what's this?	qu'est-ce?, qu'est-ce que c'est (que cela)?
was für ein ...?	what (kind of)...?	quel ...?
was für ein ...!	what (a) ...!	quel ...!
was kostet das?	how much is it?	combien (cela coûte-t-il)?
'waschen u-a/ä	to wash	laver [toilette
sich waschen	to wash	se laver; faire sa
der Waschlappen	face-cloth	le gant de toilette

12—5196/2

die 'Wäsche	linen	le linge
frische Wäsche anziehen	to change o's underclothes pl	changer de linge, mettre du linge propre
das 'Wasser s/-	water	l'eau f
ein Glas Wasser	a glass of water	un verre d'eau
warmes Wasser	hot water	de l'eau chaude
mit fließendem Wasser	with running water	avec eau courante
mit kaltem Wasser	with cold water	à l'eau froide
das Wasser kocht	the water is boiling	l'eau bout
die 'Watte	cotton-wool	le coton
das WC	w. c., lavatory, cloakroom	les W.C., les vécés, les waters, les toilettes pl
der 'Wechsel s/-	change	le changement; le change [change
die Wechselstube	exchange office	le bureau de
wechseln	to change	changer
Geld wechseln	to exchange money	changer de l'argent
können Sie 100 Mark wechseln?	can you give me change for 100 marks? [up	avez-vous la monnaie de 100 marks?
'wecken	to (a)waken, to wake	(r)éveiller
'weder . . . 'noch	neither . . . nor	(ne) ni . . . ni
der Weg es/e	way, path, road	le chemin, la voie, la route
der Weg nach Berlin	the way to Berlin	la route de Berlin
der Weg zum Bahnhof	the way to the station	le chemin de la gare
den Weg zeigen	to show the way	indiquer le chemin
einen Weg einschlagen	to take a road	prendre un chemin
einen Weg fahren	to follow a road	suivre un chemin
sich auf den Weg machen	to set out (for)	se mettre en route (pour)
der richtige Weg (nach)	the right way	le bon chemin, la bonne route
nach dem Weg fragen	to ask the way	demander le chemin
weg → da	away, off	parti; perdu
er ist weg	he is gone	il est parti
das Buch ist weg	the book is lost	le livre est perdu
Hände weg!	hands off!	bas les mains!

'weg|fahren u-a/ä, **'weg|gehen** i-a → zurückkehren	to go away, to leave	s'en aller, partir
das geht weg	*that'll pass off*	*ça se passera*
'weg|laufen ie-au/äu	to run away	s'enfuir, se sauver
'weg|nehmen a-o/i	to take away	ôter, enlever
'weg|schaffen → holen	to remove	emporter
weh → wohl	sore	mal
es tut mir weh	*it hurts me*	*j'ai mal*
wo tut es (Ihnen) weh?	*where does it hurt?*	*où avez-vous mal?*
der Kopf tut mir weh	*my head aches*	*j'ai mal à la tête*
er hat mir wehgetan	*he has hurt me*	*il m'a fait mal*
'wehen	to blow; to wave	souffler; flotter
der Wind weht	*the wind is blowing*	*le vent souffle*
die Fahne weht	*the flag is waving*	*le drapeau flotte*
'weiblich	feminine; female	féminin; femelle
weich → hart/fest	soft; tender	mou (mol), molle; [tendre
'Weihnachten	Christmas	Noël
zu Weihnachten	*at Christmas*	*à (la) Noël*
Fröhliche Weihnachten!	*Merry Christmas!*	*Joyeux Noël!*
die 'Weile	while	le moment
eine Weile	*for a while*	*quelques instants*
eine ganze Weile	*quite a while*	*un bon moment*
nach einer Weile	*after a while*	*au bout de quelque temps*
bleib noch eine Weile!	*stay a bit longer*	*reste encore un moment!*
der Wein es/e	wine; vine; grapes *pl*	le vin; la vigne; le raisin
ein Glas Wein	*a glass of wine*	*un verre de vin*
das Weinglas	*the wineglass*	*le verre à vin*
Wein trinken	*to drink wine*	*boire du vin*
den Wein kosten	*to taste the wine*	*goûter le vin*
'weinen → lachen	to weep, to cry	pleurer
'weise → dumm	wise	sage
die Weisheit	*wisdom*	*la sagesse*
die 'Weise /n	way	la manière, la façon
auf welche Weise?	*in what way?*	*de quelle manière/façon?* [façon
auf diese Weise	*in that way*	*de cette manière/*

In keiner Weise	*in no way*	*en aucune façon*
weiß	white	blanc, blanche
weiß (1., 3. pers sg präs v. wissen)		
weit → nahe/eng	far; wide, large, broad	loin, éloigné; large, ample
ich bin so weit	*I am ready*	*je suis prêt*
das geht zu weit	*that's going too far*	*c'en est trop*
es ist weit von hier	*it is a long way from here*	*c'est loin d'ici*
weit und breit	*far and wide*	*partout*
weit weg	*a long way off*	*au loin*
ist es noch weit?	*is it still a long way?*	*y a-t-il encore loin?*
wie weit ist es nach ...?	*how far is it to ...?*	*combien de kilomètres y a-t-il d'ici à ...?*
von weitem	*from a distance*	*de loin*
*bei weitem	weitaus*	*by far, much*	*de beaucoup*
'weiter → näher	farther, further	plus loin
nichts weiter	*that's all, nothing else*	*voilà tout*
weiter niemand	*no one else*	*personne d'autre*
und so weiter	*and so on*	*et ainsi de suite*
'weiter|gehen i-a → stehenbleiben	to go along	passer
der 'Weizen s/ Weizensorten	wheat	le blé
'welche(r,s)	what, which (one)	quel, quelle/ lequel, laquelle
die Welt /en	world	le monde
die ganze Welt	*the whole world*	*le monde entier*
in der ganzen Welt	*all over the world [world*	*dans le monde entier*
auf die Welt kommen	*to come into the*	*venir au monde*
wem	to whom	à qui
wen	whom	qui
'wenden	to turn	(re)tourner
Bitte wenden!	*Please turn over*	*Tournez, s'il vous plaît*
sich wenden (an)	*to turn (to)*	*s'adresser (à)*
die Seite umwenden	*to turn over the page*	*tourner la page*
'wenig → viel	little, few	peu
ein wenig	*a little, a bit*	*un (petit) peu*

wenig Zeit	*little time*	*peu de temps*
ein wenig Geduld	*a little patience*	*un peu de patience*
zu wenig Geld	*too little money*	*trop peu d'argent*
wenig Leute	*few people*	*peu de monde*
'weniger (als)	less (than)	moins (de/que)
→ mehr (als)		
viel weniger	*much less*	*bien moins*
mehr oder weniger	*more or less*	*plus ou moins*
immer weniger	*less and less*	*de moins en moins*
5 weniger 3 ist 2	*5 minus 3 equals 2*	*5 moins 3 égale 2*
'wenigstens	at least	au moins, du moins
→ höchstens		
wer	who	qui
wer ist da?	*who is there?*	*qui est là?, qui est-ce qui est là?*
wer ist das?	*who is he?*	*qui est-ce?*
'werden u-o/i	to become; to get; to grow	devenir, commencer à être
es wird kalt	*it is getting cold*	*il commence à faire froid*
es wird schon werden	*it will be all right*	*cela va venir*
das muß anders werden	*there must be a change*	*il faut que cela change*
'werfen a-o/i	to throw	jeter
das Werk es/e	work; works *pl;* plant	l'ouvrage *m;* l'œuvre *f;* l'usine *f*
sich ans Werk machen	*to set to work*	*se mettre à l'ouvrage* [Goethe
Goethes Werke	*Goethe's works*	*les œuvres de*
die Werkstatt	*workshop*	*l'atelier m*
das Werkzeug	*tool*	*l'outil m*
wert	worth	qui vaut, valant
wert sein	*to be worth*	*avoir une valeur de*
das ist nichts wert	*that's no good*	*cela ne vaut rien*
das ist nicht viel wert	*that's not up to much*	*cela ne vaut pas grand'chose*
das ist nicht der Rede wert	*it's not worth mentioning*	*cela ne vaut pas la peine d'en parler*
der Wert es/e	value; worth	la valeur; le prix
Wert legen (auf)	*to make a point (of)*	*tenir (à)*
das 'Wesen s/-	being; nature	l'être *m;* la nature
ein lebendes Wesen	*a living soul*	*un être vivant*
sein Wesen gefällt mir	*I like his manners*	*ses manières me plaisent*

'wesentlich	essential	essentiel
die wesentlichen Merkmale	*the essential features*	*les caractères essentiels*
der 'Westen s	west	l'ouest *m*
im Westen	*in the west*	*à l'ouest*
die westliche Seite	*the western side*	*le côté ouest*
das 'Wetter s/-	weather	le temps
es ist schönes Wetter	*it's a fine/nice day*	*il fait beau (temps)*
bei schlechtem/schönem Wetter	*in wet/bad/fine weather*	*par mauvais/beau temps*
wie ist heute das Wetter?	*how is the weather today?*	*quel temps fait-il aujourd'hui?*
bei solchem Wetter	*in such weather*	*par un temps pareil*
'wichtig → unwichtig	important	important
es ist für mich sehr wichtig	*it's of great importance to me*	*c'est très important pour moi*
nichts Wichtiges	*nothing that matters*	*pas grand'chose*
die Wichtigkeit	*importance*	*l'importance* f
von größter Wichtigkeit	*of greatest importance*	*de la plus grande importance*
wider'stehen a-a, Widerstand leisten	to resist, to offer resistance	résister (à), opposer de la résistance (à)
wie	how; as, like	comment; comme
wie geht es Ihnen?	*how do you do?, how are you?*	*comment allez-vous?, comment ça va?*
wie lange (noch)?	*how long?*	*combien de temps?*
wie lange (schon)?	*how long?*	*depuis quand?*
wie bitte?	*I beg your pardon?*	*comment?, pardon?, vous dites?*
wie schön das ist!	*how beautiful!*	*que c'est beau!*
wie groß er ist!	*how tall he is!*	*comme il est grand!*
wie interessant!	*how interesting!*	*que c'est intéressant!*
wie schade!	*what a pity!*	*quel dommage!*
wie zum Beispiel	*such as*	*comme par exemple*
'wieder	again	de nouveau
immer wieder	*again and again*	*sans cesse*
nie wieder	*never again*	*(ne) jamais plus*
wieder'holen	to repeat	répéter
wiederholt	*repeatedly*	*à plusieurs reprises*
die Wiederholung	*repetition*	*la répétition*

wiedersehen — winken 183

'wieder|sehen a-e/ie	to see again	revoir
(auf) Wiedersehen!	good-bye!, so long!, see you again!	au revoir!, à tout à l'heure!
'wiegen o-o	to weigh	peser
das Päckchen wiegt	the parcel weighs	le paquet pèse
die 'Wiese /n	meadow	le pré; la prairie
wie'so	how, why (so), but why	comment cela
wie'viel	how much, how many	combien
wieviel kosten die Äpfel?	how much are these apples?	combien coûtent ces pommes?
wieviel Personen?	how many persons?	combien de personnes?
wieviel ist 2 + 2?	how much is 2+2?	combien font 2+2?
wieviel Blumen!	what a lot of flowers!	que de fleurs!, combien de fleurs!
wieviel Uhr ist es?	what's the time?, what time is it?	quelle heure est-il?
den wievielten haben wir heute?	what is the date?	le combien sommes-nous?
wild	wild	sauvage
wilde Tiere	wild animals	des bêtes sauvages
will (1., 3. pers sg präs v. wollen)		
der 'Wille ns/n	will	la volonté
guten Willens sein	to have good intentions	être plein de bonne volonté
um ... willen	for the sake of ...	pour l'amour de ...
will'kommen	welcome	bienvenu
seien Sie willkommen!	welcome!, happy to see you!	soyez le/la bienvenu(e)!
willkommen heißen	to welcome	souhaiter la bienvenue (à)
willst (2. pers sg präs v. wollen)		
der Wind es/e	wind	le vent
draußen geht ein Wind	there is a wind blowing outside	il fait du vent dehors
'winken	to wave	faire signe
mit der Hand winken	to wave o's hand	faire signe de la main
mit dem Taschen- tuch winken	to wave o's handkerchief	agiter son mouchoir

der 'Winter s/-	winter	l'hiver *m*
im Winter	*in winter*	*en hiver*
wir Deutschen	we Germans	nous autres Allemands
wird (3. pers sg präs v. werden)		
'wirken	to work, to act; to operate; to take effect	travailler, agir; opérer; faire (de l')effet
das Mittel wirkt	*the remedy takes (effect)/is effective*	*le remède fait de l'effet/est efficace*
'wirklich → unwirklich	real(ly), actual(ly), indeed	réel(lement); en effet, vrai(ment)
die Wirklichkeit	*reality*	*la réalité*
in Wirklichkeit	*in reality*	*en réalité*
wirksam	*effective*	*efficace*
die 'Wirkung /en	effect; action	l'effet *m*; l'action *f*
eine Wirkung haben	*to produce an effect*	*produire un effet*
die 'Wirtschaft /en	household; economy	le ménage; l'économie *f*
sie führt ihm die Wirtschaft	*she runs his household*	*elle s'occupe de son ménage*
wirtschaftlich	*economical*	*économique*
'wischen	to wipe (clean), to clean	essuyer, nettoyer
die Tafel abwischen	*to wipe the blackboard*	*essuyer le tableau*
sich das Gesicht abwischen	*to wipe o's face*	*s'essuyer la figure*
'wissen uß-uß/eiß	to know	savoir
ich möchte wissen	*I wonder, I would like to know*	*je voudrais savoir*
man kann nie wissen	*you never know*	*on ne sait jamais, sait-on jamais?*
soviel ich weiß	*for all I know*	*autant que je sache*
ich weiß nichts davon	*I don't know anything about it*	*je n'en sais rien*
das Wissen	*knowledge; learning*	*le savoir; les connaissances pl*
meines Wissens	*as far as I know*	*à ce que je sais*
nach bestem Wissen und Gewissen	*to the best of o's knowledge and belief*	*en toute conscience*
die 'Wissenschaft /en	science	la science

wo	where	où
die 'Woche /n	week	la semaine
nächste Woche	*next week*	*la semaine prochaine*
vor einer Woche	*a week ago*	*il y a une semaine*
letzte Woche	*last week*	*la semaine passée*
wöchentlich	*weekly*	*par semaine*
das 'Wochenende s	weekend	le week-end
der 'Wochentag s/e	week day	le jour ouvrable
wo'her	from where	d'où
wo'hin	where (to)	où
wohl → übel	well	bien
sich wohl fühlen	*to be well*	*se sentir bien*
mir ist nicht wohl	*I don't feel well*	*je ne me sens pas bien, je me sens mal*
leben Sie wohl!	*good-bye!*	*adieu!*
auf Ihr Wohl!	*here's to you!*	*à votre santé!*
'wohnen	to live; to stay	habiter; demeurer
in der Stadt wohnen	*to live in the town*	*habiter en ville*
auf dem Lande wohnen	*to live in the country*	*vivre à la campagne*
ich wohne in der Goethestraße	*I live in Goethe Street*	*j'habite la rue Goethe*
ich wohne Goethe- straße 3	*I live at No. 3 Goethe Street*	*j'habite 3, rue Goethe*
er wohnt bei mir	*he lives/is staying with me*	*il habite chez moi*
die 'Wohnung /en	apartment, flat; residence	l'appartement m; le domicile, la résidence
das Wohnzimmer	*sitting-room*	*la pièce/salle de séjour*
die 'Wolke /n	cloud	le nuage
die 'Wolle	wool	la laine
aus Wolle	*woollen, made of wool*	*en laine*
'wollen o-o/i	to want	vouloir
lieber wollen	*to prefer*	*aimer mieux, préférer*
(ganz) wie Sie wollen	*(just) as you like*	*comme vous voudrez*
zu wem wollen Sie?	*whom do you want to see?*	*qui demandez- vous?*

wo'mit	with what	avec/à/de quoi
wo'ran	at/of/in what	à quoi
woran denkst du?	*what are you thinking about/of?*	*à quoi penses-tu?*
'worden (part perf v. werden)		
das Wort es/ö-er; e	word	le mot; la parole
ein offenes Wort sprechen	*to speak frankly*	*parler franc et net*
kein Wort sprechen	*to keep silent*	*ne dire mot*
Wort halten	*to keep o's word*	*tenir parole*
das Wort ergreifen	*to (begin to) speak*	*prendre la parole*
sein Wort brechen	*to break o's word*	*manquer à sa parole*
beim Wort nehmen	*to take s.o. at his word*	*prendre au mot [toute*
mit einem Wort	*in a word*	*en un mot, somme*
mit anderen Worten	*in other words*	*en d'autres termes*
die 'Wunde /n	wound	la blessure
eine Wunde verbinden	*to dress a wound*	*panser une blessure*
sich 'wundern (über)	to wonder, to be surprised (at)	s'étonner (de)
das wundert mich	*I am surprised*	*cela m'étonne, j'en suis étonné*
der Wunsch es/ü-e	wish, desire	le désir, le souhait
haben Sie noch einen Wunsch?	*(is there) anything else (you'd like)?*	*désirez-vous encore qc?*
mit den besten Wünschen	*with best wishes*	*avec les meilleurs vœux*
'wünschen	to wish, to desire, to want	désirer, souhaiter
wünschen Sie noch etwas?	*would you like anything else?*	*désirez-vous encore qc?*
das läßt zu wünschen übrig	*that could be better*	*cela laisse à désirer*
Glück wünschen	*to congratulate (on)*	*souhaiter du bonheur (à)*
'wurde (1., 3. pers sg prät v. werden)		
'würde (1., 3. pers sg cond v. werden)		
die 'Würde	dignity	la dignité
'würdig → unwürdig	worthy	digne
die Wurst /ü-e	sausage	le saucisson; la saucisse

die 'Wurzel /n	root	la racine
Wurzel schlagen	*to take root*	*prendre racine*
'wußte (1., 3. pers sg		
prät v. wissen)		
die 'Wüste /n	desert	le désert
die Wut	rage	la rage; la colère
wütend sein	*to be in a rage*	*être en colère*
wütend werden	*to lose o's temper*	*se mettre en colère*

Z

die Zahl /en	number; figure	le nombre; le chiffre
in großer Zahl	*in large numbers*	*en grand nombre*
Zahlen zusammen-zählen	*to add up figures*	*additionner des chiffres*
zahlreich	*numerous*	*nombreux,se*
'zahlen	to pay	payer
zahlen, bitte!	*the bill, please!*	*l'addition, s'il vous plaît!*
'zählen	to count	compter
das zählt nicht	*that does not count*	*cela ne compte pas*
ich zähle auf dich	*I'll count on you*	*je compte sur toi*
an den Fingern abzählen	*to count on the fingers*	*compter sur les doigts*
der Zahn s/ä-e	tooth	la dent
die Zähne putzen	*to brush o's teeth*	*se brosser les dents*
sich einen Zahn ziehen lassen	*to have a tooth pulled out*	*se faire arracher une dent*
der Zahnarzt	*dentist*	*le dentiste*
zum Zahnarzt gehen	*to go to the dentist's*	*aller chez/consulter le dentiste*
die Zahnbürste	*toothbrush*	*la brosse à dents*
Zahnschmerzen haben	*to have (got a) toothache*	*avoir mal aux dents*
die Zahnpaste	*tooth-paste*	*le dentifrice, la pâte*
zart	delicate; tender	délicat; tendre
die 'Zehe /n	toe	l'orteil m, le doigt
auf Zehenspitzen	*on tiptoe*	*sur la pointe des pieds*
das 'Zeichen s/-	sign; signal	le signe; le signal
ein Zeichen geben	*to make a sign*	*faire signe*
das Zeichen abwarten	*to wait for the signal*	*attendre le signal*

das Verkehrszeichen	*traffic sign*	*le panneau, le signal*
'zeichnen	to draw	dessiner
'zeigen	to show, to point	montrer, indiquer
das wird sich zeigen	*we shall see*	*cela se verra*
die Papiere zeigen	*to show o's papers*	*présenter ses papiers*
die 'Zeile /n	line	la ligne
schreib/schreiben Sie ein paar Zeilen	*drop a line*	*écris/écrivez quelques lignes*
die 'Zeit /en	time	le temps
zur Zeit	*at the present time*	*à présent*
zur (rechten) Zeit kommen	*to arrive in good time*	*arriver à temps*
zur gleichen Zeit	*at the same time*	*en même temps*
die ganze Zeit	*all the time*	*tout le temps*
vor langer Zeit	*a long time ago*	*il y a longtemps*
nach einiger Zeit	*some time afterwards*	*quelque temps après*
kurze Zeit danach	*shortly after*	*peu après*
um welche Zeit?	*at what time?*	*à quelle heure?*
von Zeit zu Zeit	*from time to time*	*de temps en temps*
Zeit haben	*to have (plenty of) time*	*avoir le temps*
ich habe keine Zeit	*I have no time*	*je n'ai pas le temps*
es ist höchste Zeit	*it is high time*	*il est grand temps*
lassen Sie sich Zeit	*take your time (about it)*	*prenez votre temps*
seine Zeit verbringen	*to pass o's time*	*passer son temps*
zeitig	*early*	*tôt, de bonne heure*
zeitig aufstehen	*to get up early*	*se lever tôt*
die 'Zeitung /en	(news)paper	le journal
die Zeitung lesen	*to read the paper*	*lire le journal*
das Zelt s/e	tent	la tente
zer'brechen a-o/i	to break (in two)	(se) briser
zer'reißen i-i	to tear (up)	(se) déchirer
in Stücke reißen	*to tear to pieces*	*mettre en pièces*
zer'schlagen u-a/ä	to break (to pieces)	mettre en pièces, briser
zer'stören	to destroy, to demolish, to ruin	détruire, démolir, ruiner [papier]
der 'Zettel s/-	label; slip (of paper)	la fiche; le (bout de)
das Zeug s	thing(s)	les choses *pl*
dummes Zeug reden	*to talk nonsense*	*dire des bêtises* pl

'ziehen o-o → schieben	to pull; to draw	tirer
den Griff ziehen	*to pull the knob*	*tirer la poignée*
eine Linie ziehen	*to draw a line*	*tirer une ligne*
in Zweifel ziehen	*to doubt*	*mettre en doute*
hier zieht es	*there is a draught here*	*il y a un courant d'air ici*
das Ziel s/e	aim; finish	le but; l'arrivée f
das Ziel erreichen	*to gain o's end(s)*	*arriver au but/à ses fins pl*
das Ziel verfehlen	*to miss the mark*	*manquer le but*
(sich) ein Ziel setzen	*to aim at*	*(se) fixer un but*
'ziemlich	rather	assez
ziemlich gut	*pretty good*	*assez bon/bien*
ziemlich viel	*quite a lot (of)*	*pas mal (de)*
die Ziga'rette /n	cigarette	la cigarette
eine Zigarette rauchen	*to smoke a cigarette*	*fumer une cigarette*
eine Zigarette an- zünden	*to light a cigarette*	*allumer une cigarette*
die Zi'garre /n	cigar	le cigare
das 'Zimmer s/-	room	la pièce; la chambre
Zimmer zu vermieten	*Room to let*	*Chambre à louer*
das Zimmer geht nach dem Garten	*the room looks onto the garden*	*la pièce donne sur le jardin*
ist ein Zimmer frei?	*is there a room vacant?*	*vous avez une chambre de libre?*
'zittern (vor)	to tremble, to shake (with)	trembler (de)
der Zoll s/ö-e	customs pl	la douane [douane
die Zollkontrolle	*customs inspection*	*le contrôle de (la)*
die 'Zone /n	zone	la zone
zu → offen	closed, shut	fermé
Tür zu!	*Shut the door, please.*	*Fermez la porte!*
der 'Zucker s/-	sugar	le sucre
'zu|decken (mit) → aufdecken	to cover (with)	couvrir (de)
zu'erst → zuletzt	at first, first of all; first; to begin with; to begin by ...	d'abord, en premier lieu; le premier; pour commencer; commencer par ...
'zufällig → absichtlich	by chance	par hasard
zufällig etw tun	*to happen/chance to do s.th.*	*venir à faire qc*

zu'frieden	content, satisfied	content, satisfait
zufrieden sein (mit)	*to be satisfied*	*être content (de)*
der Zug s/ü-e	train; trait *[(with)*	le train; le trait
mit dem Zug	*by train*	*par le train*
mit dem Zug fahren	*to go by train*	*prendre le train*
den Zug verpassen	*to miss the train*	*manquer le train*
der Personenzug	*slow train*	*l'omnibus* m
der Schnellzug	*express (train), fast train*	*le rapide*
zu'gleich	at the same time;	en même temps, à
→ *nacheinander*	together	la fois; ensemble
'zu|hören	to listen	écouter
hör mal (zu)!	*listen.*	*écoute!*
die 'Zukunft	future	l'avenir m; le futur
in Zukunft	*in (the) future*	*à l'avenir*
zu'letzt → *zuerst*	in the end, at last; last	à la fin, en dernier lieu; le dernier, la dernière
er kam zuletzt	*he came last*	*il est venu le dernier*
'zu|machen → *öffnen*	to shut, to close	fermer; boucher
zu'nächst	first of all, to begin with	tout d'abord, en premier lieu
die 'Zunge /n	tongue	la langue
zu'rück	back	en arrière; de retour
zurück!	*go back.*	*recule(z)!*
er ist noch nicht zurück	*he hasn't come back yet*	*il n'est pas encore de retour*
zu'rück|kehren → *weggehen*	to return; to come back	retourner; rentrer
zu'sammen → *einzeln/getrennt*	(al)together	ensemble
zu'sammen|setzen	to compose, to assemble; to put together	composer; assembler
der 'Zuschauer s/-	spectator, (tele)viewer	le (télé)spectateur
'zu|schließen o-o → *aufschließen*	to lock (up)	fermer à clef
der 'Zustand s/ä-e	state; condition	l'état m; la condition
in gutem Zustand	*in good condition*	*en bon état*
der 'Zutritt s	access; admission	l'accès m; l'entrée f
Zutritt verboten!	*No admittance!, No entrance!*	*Entrée interdite!, Défense d'entrer!*

zu'viel(e)	too much/many	trop (de)
viel zuviel	*far too much*	*beaucoup trop*
das ist zuviel!	*that's really too*	*c'en est trop!*
zu'weilen	sometimes *[much!*	parfois, quelquefois
zwar	to be sure, it's true	à vrai dire, certes
und zwar	*namely*	*à savoir*
der Zweck s/e	aim, end, purpose	le but, la fin
zu diesem Zweck	*to this end, for*	*dans ce but, à*
	that purpose	*cette fin*
zu welchem Zweck?	*what for?*	*dans quel but?*
das hat keinen Zweck	*that's of no use*	*cela ne sert à rien*
der 'Zweifel s/-	doubt *[doubtless*	le doute
ohne Zweifel	*no/without doubt,*	*sans aucun doute*
darüber besteht kein	*there is no doubt*	*cela est hors de*
Zweifel	*about it*	*doute*
zweifellos	*doubtless*	*sans doute*
zweifeln	*to doubt*	*douter*
der Zweig es/e	branch, twig	la branche; le rameau
'zwingen a-u	to force	forcer

Die Wochentage
The days of the week / Les jours de la semaine

'Montag	Monday	lundi
'Dienstag	Tuesday	mardi
'Mittwoch	Wednesday	mercredi
'Donnerstag	Thursday	jeudi
'Freitag	Friday	vendredi
'Sonnabend,'Samstag	Saturday	samedi
'Sonntag	Sunday	dimanche

Die Monate / The months / Les mois

'Januar	January	janvier
'Februar	February	février
März	March	mars
A'pril	April	avril
Mai	May	mai
'Juni	June	juin
'Juli	July	juillet
Au'gust	August	août
Sep'tember	September	septembre
Ok'tober	October	octobre
No'vember	November	novembre
De'zember	December	décembre

Starke Verben,

die in den Stammformen nicht nur den Stammvokal verändern.

Irregular verbs

with more than modification of the root vowel only.

Verbes irréguliers

avec changement vocalique et orthographe différente.

beißen: biß, gebissen
bitten: bat, gebeten
bringen: brachte, gebracht
denken: dachte, gedacht
dürfen: durfte, gedurft/darf
essen: aß, gegessen/ißt
fallen: fiel, gefallen/fällt
fließen: floß, geflossen
gehen: ging, gegangen
genießen: genoß, genossen
gießen: goß, gegossen
greifen: griff, gegriffen
haben: hatte, gehabt/hat
kommen: kam, gekommen
lassen: ließ, gelassen/läßt
leiden: litt, gelitten
mögen: mochte, gemocht/mag

müssen: mußte, gemußt/muß
nehmen: nahm, genommen/ nimmt
reißen: riß, gerissen
reiten: ritt, geritten
schießen: schoß, geschossen
schließen: schloß, geschlossen
schneiden: schnitt, geschnitten
schreiten: schritt, geschritten
sein: war, gewesen/ist
senden: sandte, gesandt
sitzen: saß, gesessen
stehen: stand, gestanden
tun: tat, getan
wenden: wandte, gewandt
ziehen: zog, gezogen

Die mit Präfix (be-, ent-, er-, ver-, zer-) oder Partikel (ab-, an-, auf-, aus-, hin-, hinaus-, los-, mit-, nach-, teil-, um-, unter-, vor-, weg-, weiter-, zu-) zusammengesetzten Verben bilden dieselben Formen.
All corresponding verbal compounds with prefixes or particles have the same forms.
Les composés verbaux à préfixe ou à particule se conjuguent de la même manière.

Register / Index / Index

Englisch—Deutsch / English—German / Anglais—Allemand

abdomen *Bauch*
able *fähig*
  be able *können*
about *etwa, herum,*
  umher, ungefähr
above *oben*
  above that/it *darüber*
absence *Mangel m*
be absent *fehlen*
absolutely *durchaus,*
  unbedingt
accept *annehmen*
access *Zutritt*
accident *Unfall*
accompany *begleiten*
accomplish *leisten,*
  vollenden
accordingly *danach*
account *Bericht, Rech-*
accurate *genau*   *[nung*
get accustomed to *sich*
  gewöhnen
ache *Schmerz*
achieve *erreichen*
acid *sauer*   *[m, f*
acquaintance *Bekannte*
acquire *erwerben*
across *quer über*
act s/v *Tat / wirken*
action *Handlung, Tat,*
active *tätig*   *[Wirkung*
  be active *sich regen*
actual(ly) *eigentlich,*
  wirklich
add *hinzufügen*
address *Adresse*
adjust *einstellen*
admission *Eintritt,*
  Zutritt
admit *gestehen*
advance *vorrücken*
  in advance *vorher*
advantage *Vorteil*
adversary *Gegner*
advertisement *Anzeige*
advice *Rat*

advise *raten*
aeroplane *Flugzeug*
affair *Angelegenheit,*
  Sache
affectionate *herzlich*
be afraid *sich fürchten*
after that/it *danach*
afternoon *Nachmittag*
afterwards *danach, dar-*
  auf, hinterher, nachher
again *wieder*
against it *dagegen*
age *Alter n*
agreed *einverstanden*
agriculture *Landwirt-*
ahead *voraus*   *[schaft*
  go ahead *los!*
aim *Ziel, Zweck*
air *Luft; Melodie*
  air mail *Luftpost*
alas *leider*   *[gleich*
alike *ähnlich, ebenso,*
alive *lebendig*
all *alle*
all (together) *sämtlich*
all over *überall*
  above all *vor allem*
  after all *doch, immer-*
  hin, schließlich
  at all *überhaupt*
allow *erlauben*
  be allowed *dürfen*
almost *beinahe, fast*
alone *allein*
along *vorbei*
already *bereits, schon*
also *auch, ebenfalls,*
  gleichfalls
altogether *zusammen*
always *immer, stets*
America *Amerika*
among other things
  unter anderem
amount *Betrag, Menge*
ancient *alt*
and *und*

angry *böse*
animal *Tier*
announce *melden*
one after another
  hintereinander, nach-
  einander
answer s/v *Antwort /*
  antworten
anxiety *Angst*
anxious *ängstlich*
any *irgendein*
anybody *jeder, jeder-*
  mann, jemand
anyhow *dennoch, sowieso*
anyway *sowieso*
not anywhere *nirgends*
apartment *Wohnung*
apparatus *Apparat,*
  Gerät
appear *aussehen, er-*
  scheinen, scheinen
apple *Apfel*
application *Anwendung,*
  Fleiß   *[wenden*
apply *anwenden, ver-*
apprentice *Lehrling*
area *Gebiet*
argument *Beweis*
arise *entstehen*
arm *Arm*
arm(s) *Waffe*
armchair *Sessel*
army *Heer*
around *rings, umher*
arrange *abmachen,*
  einrichten, ordnen
arrangement *Ordnung*
arrest *anhalten, ver-*
  haften
arrive *ankommen*
art *Kunst*
article *Artikel, Ware*
artist *Künstler*
as *wie*
  as it is *sowieso*
ascend *steigen*

ask *bestellen, bitten,
   einladen, fordern,
   fragen, verlangen*
be asleep *schlafen*
assemble *versammeln,
   zusammensetzen*
assistance *Hilfe*
assistant *Verkäufer*
assure *versichern*
be astonished
   erstaunen, staunen
atilt *schief*
atom *Atom*
attach *festmachen*
   be attached *hängen*
attack s/v *Angriff /
   angreifen*
attempt s/v *Versuch /
   versuchen*
attend *behandeln,
   besuchen*
attendance *Besuch*
attention *Achtung,
   Aufmerksamkeit*
   pay attention *beachten*
attentive *aufmerksam*
attitude *Haltung*
attract *anziehen*
aunt *Tante*
authority *Behörde*
auto *Auto*
autumn *Herbst*
average *Durchschnitt*
awake *wach*
awaken *wecken*
away *ab, entfernt, fort,
   weg*
awful *furchtbar*

back s/adv
   Rücken / zurück
   in (the) back *hinten*
backward *rückwärts*
bad *schlecht, schlimm,
   übel*
bag *Sack, Tasche*
baggage *Gepäck*
bake *backen*
balance *Waage*

ball *Ball, Kugel*
banana *Banane*
band *Band n*
bank *Ufer*
bare *nackt*
bargain *Kauf*
base *gemein*
basement *Keller*
bath(e) *Bad*
   have/take a bath
   baden
bathroom *Bad*
battle *Schlacht*
be *sein, liegen*
   be to *müssen, sollen*
beam *Strahl*
bear *aushalten, tragen*
beast *Tier, Vieh*
beat *schlagen*
beautiful *schön*
beauty *Schönheit*
because of him
   seinetwegen
   because of me
   meinetwegen
become *werden*
bed *Bett*
beer *Bier*
before(hand) *vorher*
beg *bitten* |*beginnen*
begin *anfangen*
   to begin with *zuerst,
   zunächst*
beginning *Anfang,
   Beginn* |*anfangs*
   in the beginning
behave *benehmen*
behind *dahinter, hinten,
   hinterher*
being *Wesen*
   human being *Mensch*
   come into being *ent-
   stehen*
belief *Glaube*
believe *glauben*
bell *Glocke, Klingel*
belly *Bauch*
belong *gehören*
below *unten*
bench *Bank*

beneath *unten*
bend s/v *Kurve/neigen*
besides *außerdem,
   nebenbei, dazu, über-
   haupt, übrigens*
the very best *allerbeste*
better *besser, lieber*
bicycle *Fahrrad, Rad*
big *groß*
bike *Fahrrad, Rad*
bill *Rechnung, Schein*
   bill of fare *Karte*
bind *binden*
bird *Vogel*
birth *Geburt*
birthday *Geburtstag*
a bit *ein bißchen, etwas*
   bit by bit *nach und
   nach*
bite *beißen*
bitter *bitter*
black *schwarz*
blade *Klinge*
blind *blind*
blood *Blut*
bloom *blühen*
blouse *Bluse*
blow s/v *Schlag /
   wehen*
blue *blau*
board *Bord, Brett,
   Tafel*
boat *Schiff*
body *Körper, Leib*
boil *kochen*
bone *Knochen*
book *Buch*
boot *Schuh*
border *Grenze*
boring *langweilig*
born *geboren*
borrow *leihen*
boss *Alter m, Chef*
both *beide*
bottle *Flasche*
bottom *Boden, Grund*
bound *Satz*
bowl *Schüssel*
box *Kasten, Schachtel*
   box-office *Kasse*

boy *Junge*
boyfriend *Freund*
branch *Ast, Zweig*
brand *Marke*
bread *Brot*
  loaf of bread *Brot*
break s *Pause*
break v *ausschalten,*
  brechen, zerbrechen,
  zerschlagen
  break off *aufhören*
break-down s *Panne*
breakfast *Frühstück*
breast *Brust*
breath *Atem*
bridge *Brücke*
brief *kurz*
brief-case *Mappe,*
  Tasche
bright *hell, klar*
bring *bringen, mit-*
  bringen
bring up *erziehen*
broad *breit, weit*
broadcast *senden*
broken *kaputt*
broom *Besen*
brother *Bruder*
brown *braun*
brush *Bürste, Pinsel*
bucket *Eimer*
build *bauen*
building *Bau, Gebäude*
bullet *Kugel*
burn *brennen, ver-*
burst *platzen* [*brennen*
bus *Bus* [*Geschäft*
business *Angelegenheit,*
but (on the contrary)
  sondern [*Metzger*
butcher, *Fleischer,*
butter *Butter*
button *Knopf*
buy *kaufen*

cake *Kuchen*
calculate *rechnen*
call s/v *Anruf, Ruf /*
  holen, nennen, rufen

make a call *anrufen*
be called *heißen*
call out *ausrufen*
call up *anrufen,*
  telefonieren
calm s/adj *Ruhe /ruhig,*
camera *Kamera* [*still*
camp *Lager*
cancel *streichen*
candle *Licht*
cane *Stock*
cap *Mütze*
capable *fähig* [*Kapital*
capital *Hauptstadt,*
captain *Kapitän*
car *Wagen*
card *Karte*
care *Sorge, Vorsicht*
  with care *sorgfältig*
  take care *achtgeben,*
  pflegen
  care for *sorgen für*
  care to *mögen*
carefully *sorgfältig*
carpet *Teppich*
carriage *Wagen*
carry *tragen*
  carry out *ausführen,*
  durchführen
case *Fall, Kasten,*
  Koffer, Schachtel
  in any case *jedenfalls,*
  sowieso
cash-box *Kasse*
castle *Schloß*
cat *Katze*
catch *ergreifen,*
  fangen, fassen
  catch a cold *sich er-*
  kälten
  catch sight *erblicken*
cattle *Rind, Vieh*
cause s/v *Grund,*
  Ursache / verursachen
caution *Vorsicht*
ceiling *Decke*
celebrate *feiern*
cellar *Keller* [*punkt*
centre *Mitte, Mittel-*
century *Jahrhundert*

cereals pl *Getreide sg*
certain(ly) *bestimmt,*
  gewiß, sicher
chair *Pult, Stuhl*
chairman *Vorsitzende*
chalk *Kreide* [*m, f*
champion *Meister*
chance *Aussicht,*
  Gelegenheit, Glück
  by chance *etwa,*
  zufällig
change s/v *Geld, Wech-*
  sel / ändern, schalten,
  umsteigen, verändern,
  verwandeln
character *Buchstabe,*
  Charakter, Person
characterize *bezeichnen*
charge *Amt, Ladung*
chase *jagen*
cheap *billig*
check s *Scheck* [*sehen*
check v *hindern, nach-*
cheek *Wange*
cheerful *fröhlich, heiter*
cheese *Käse*
chemist's shop
  Apotheke
chemistry *Chemie*
cheque *Scheck*
cherry *Kirsche*
chest *Brust*
chew *kauen*
chicken *Huhn*
chief *Chef, Haupt*
child *Kind*
chocolate *Schokolade*
choice s/adj *Wahl / fein*
choir *Chor*
choose *wählen*
chorus *Chor*
Christmas *Weihnachten*
church *Kirche*
cigar *Zigarre*
cigarette *Zigarette*
cinema *Kino*
circle *Kreis, Ring*
circumstance *Umstand*
citizen *Bürger*
city *Stadt*

civil servant *Beamter*

civilization *Kultur*

claim *fordern*

class *Abteilung, Klasse, Kurs*

classes *Unterricht*

clean v/adj *putzen / rein, sauber*

clear *heiter, hell, klar*

clever *geschickt, klug*

climb *klettern, steigen*

cloakroom *WC*

clock *Uhr*

close s/v *Schluß / schließen, verschließen, zumachen*

close by *nahe, nebenan*

closed *zu*

cloth *Decke, Stoff, Tuch*

clothes pl, clothing *Kleidung sg*

cloud *Wolke*

coach *Bus*

coal *Kohle*

coarse *grob, roh*

coast *Küste*

coat *Mantel, Rock*

cock *Hahn*

cocoa *Kakao*

coffee *Kaffee*

cold adj *kalt*

be cold *frieren*

cold s *Erkältung, Kälte, Schnupfen*

colleague *Kollege*

collect *abholen, sammeln*

go to college *studieren*

colour *Farbe*

coloured *bunt*

comb *Kamm*

combine *verbinden*

come *kommen*

come about *geschehen*

come back *zurückkehren*

come in *eintreten, hereinkommen; herein!*

come on *auf!*

comfort *Trost*

comfortable *bequem, gemütlich*

commerce *Handel*

common *gemein*

communicate *mitteilen*

companion *Gefährte, Kamerad*

company *Gesellschaft*

compare *vergleichen*

without comparison *unvergleichlich*

compartment *Fach*

complain *klagen*

complaint *Klage*

complete v/adj *vervollständigen, vollenden / vollkommen, vollständig*

completely *völlig*

compose *zusammensetzen*

be composed *bestehen*

comrade *Genosse, Kamerad*

conceal *verbergen*

concern *betreffen*

concert *Konzert*

condition *Bedingung, Stellung, Zustand*

conference *Konferenz*

confess *gestehen*

confidence *Vertrauen*

confuse *verwechseln, verwirren*

connect *verbinden*

connection *Verbindung*

conscience *Gewissen*

consciousness *Bewußtsein*

consequence *Folge*

consequently *also*

consist *bestehen*

contain *enthalten*

content *zufrieden*

contents pl *Inhalt sg*

continue *fortfahren, fortsetzen*

contrary *Gegenteil*

on the contrary *dagegen, vielmehr*

contrary *entgegengesetzt*

convenient *bequem*

conversation *Gespräch, Unterhaltung*

convince *überzeugen*

cook *kochen*

cooking *Küche*

do the cooking *kochen*

cool *kühl*

copy-book *Heft*

cord *Schnur*

cordial *herzlich*

corn *Getreide, Korn*

corner *Ecke*

correct v/adj *verbessern / richtig*

cosmos *All*

cost(s) s/v *Kosten pl / kosten*

cottage *Hütte*

cotton-wool *Wolle*

couch *Lager*

cough *husten*

count *rechnen, zählen*

country *Gegend, Land*

couple *Paar*

courage *Mut*

course *Kurs(us), Lauf*

of course *natürlich, selbstverständlich*

court *Gericht, Hof*

cover s/v *Decke / bedecken, decken, zudecken*   [decken

cow *Kuh*

cow-shed *Stall*

crazy *verrückt*

create *schaffen*

creep *kriechen*

crime *Verbrechen*

criticism *Kritik*

crooked *krumm*

crop *Ernte*

cross s/v *Kreuz / durchqueren, überqueren*   [queren

crowd *Menge*

cry s/v *Ruf / rufen, schreien, weinen*

culture *Kultur*

cultured *gebildet*

cup *Tasse*
cupboard *Schrank*
cure *heilen*
curiosity *Neugier*
curious *merkwürdig*
current *Lauf, Strom*
curtain *Gardine, Vorhang*
curve *Kurve*
curved *krumm*
custom *Gewohnheit*
customer *Kunde*
customs pl *Zoll sg*
cut *schneiden*

daily *täglich*
damage *Schaden*
damp *feucht*
dance *Tanz*
danger *Gefahr, Not*
dangerous *gefährlich*
dare *wagen*
dark *dunkel, finster*
daughter *Tochter*
day *Tag*
  some day *einmal*
  this day *heute*
  these days *heutzutage*
  the other day *vor kurzem, neulich*
dead *tot*
dead (man) *Toter*
dear *lieb, teuer*
death *Tod*
debt *Schuld*
decent *anständig*
decide *entscheiden, sich entschließen*
decision *Beschluß, Entschluß*
declaration *Erklärung*
declare *erklären*
deed *Tat*
deep *tief*
defect *Fehler*
defend *verteidigen*
defendant *Angeklagte(r)*
definitely *unbedingt*
degree *Grad, Stufe*

delicate *zart*
deliver *liefern*
demand s/v *Nachfrage / fordern, verlangen*
demolish *zerstören*
dense *dicht*
department *Abteilung*
departure *Abfahrt, Abschied*
depend *abhängen*
desert *Wüste*
deserve *verdienen*
desire s/v *Lust, Wunsch / wünschen*
desk *Pult*
destiny *Schicksal*
destroy *vernichten, zerstören*
detach *lösen*   [*schluß*
determination *Ent-*
determine *beschließen, bestimmen*
  be determined *entschlossen sein*
develop *entwickeln*
development *Entwicklung*
devour *fressen*
die *sterben*
difference *Unterschied*
different *anders; verschieden*
difficult *schwer, schwierig*
difficulty *Schwierigkeit*
dig *graben*
dignity *Würde*
dinner *Abendessen*
direct *führen, richten*
direction *Richtung*
directly *direkt, gerade, gleich, sofort, unmittelbar*
director *Direktor*
dirty *schmutzig*
disappear *verschwinden*
discontented *unzufrieden*
discover *entdecken*

disease *Krankheit*
dish *Gericht; Speise; Schüssel*
in disorder *durcheinander*
distance *Entfernung, Ferne, Strecke*
distant *entfernt, fern*
distinct *deutlich*
distinguish *unterscheiden*
district *Gebiet*
disturb *stören*
diverse *verschieden*
diversion *Umleitung*
divide *spalten, teilen*
division *Abteilung*
do *leisten, machen, schaffen, tun*
  that'll do *das langt*
doctor *Arzt, Doktor*
dog *Hund*
done *fertig*
door *Tor, Tür*
  next door *nebenan*
double *doppelt*
doubt *Zweifel*
down *ab, abwärts, herunter, hinunter*
dozen *Dutzend*
draw *zeichnen, ziehen*
dream *Traum*
dress s/v *Kleid / anziehen*
dressmaker *Schneider*
drink s/v *Getränk/ trinken*
drive s/v *Fahrt / fahren, führen, spazierenfahren*
  take a drive *spazierenfahren*
driver *Fahrer, Kraftfahrer*
driving-licence *Führerschein*
driving-school *Fahrschule*
drop s/v *Tropfen / fallen*

dry *trocken*
dull *dumm, langweilig*
during *hindurch*
dust *Staub*
duty *Pflicht*
  pay duty *verzollen*

each *jeder*
  each other *einander, sich*
ear *Ohr*
early *bald, früh*
earn *verdienen*
earnest *ernst*
earth *Erde*
at ease, easy *bequem*
east *Osten*
Easter *Ostern*
easy *leicht*
easy-going *gemütlich*
eat *essen, fressen*
economy *Wirtschaft*
educate *bilden, erziehen*
  educated *gebildet*
education *Ausbildung*
effect *Ergebnis, Wirkung*
  take effect *wirken*
effort *Mühe*
egg *Ei*
elect *wählen*
election *Wahl*
electric(al) *elektrisch*
electrician *Elektriker*
or else *sonst*
elsewhere *anders-wo(hin)*
employ *beschäftigen*
empty *leer*
end s/v *Ende, Schluß, Zweck / beenden, enden*
  in the end *zuletzt*
enemy *Feind, Gegner*
engage *verpflichten*
engine *Maschine, Motor*
engineer *Ingenieur*
England *England*

English *englisch*
Englishman *Engländer*
enjoy *genießen*
enough *genug*
  be enough *genügen*
  have had enough *satt sein*
enter *betreten, eintreten*
entertain *unterhalten*
entire(ly) *ganz, vollständig*
entrance *Einfahrt, Eingang, Eintritt*
envy *Neid*
equal v/adj *gleichen / egal, gleich*
equality *Gleichheit*
equally *gleich*
error *Irrtum, Versehen*
escape *fliehen*
especially *besonders*
essential s/adj *Hauptsache / wesentlich*
establish *einrichten*
estimate *schätzen*
even adj/adv *eben; selber, sogar*
evening *Abend*
  in the evening *abends*
event *Ereignis*
ever *je(mals)*
  (ever)since *seitdem*
every *jeder*
everybody *alle, jeder, jedermann*
everything *alles*
everywhere *überall*
evil *böse, schlimm, übel*
exact(ly) *richtig, genau*
exam(ination) *Prüfung*
examine *prüfen, untersuchen*
example *Beispiel*
excellent *hervorragend, vorzüglich*
exception *Ausnahme*
exclaim *ausrufen*
excuse *entschuldigen*

execute *durchführen*
exercise s/v *Übung / üben*
  exercise-book *Heft*
exist *bestehen, dasein, sein*
  existing *vorhanden*
exit *Ausfahrt, Ausgang*
expect *erwarten*
experience s/v *Erfahrung / erfahren*
experiment *Versuch*
explain *erklären*
explanation *Erklärung*
export *ausführen*
expression *Ausdruck*
extent *Umfang*
extraordinary *außergewöhnlich*
extreme *äußerst*
extremely *höchst*
eye *Auge*

face *Gesicht*
facing *gegenüber*
fact *Tatsache*
  as a matter of fact *tatsächlich*
factory *Betrieb, Fabrik*
fail *mißlingen*
fair s/adj *Ausstellung, Messe / recht*
faith *Glaube*
faithful *treu*
fall s/v *Fall, Herbst / fallen, hinfallen, stürzen*
false *falsch*
fame *Ruhm*
familiar *bekannt*
family *Familie*
famous *berühmt*
far *fern, weit*
  as far as *soviel*
farm *Gut*
farmer *Bauer, Landwirt*
farming *Landwirtschaft*
farther *weiter*
fashion *Art, Mode*

fast *schnell*
fasten *festmachen*
fat *fett*
fate *Schicksal*
father *Vater*
fault *Fehler, Schuld*
favourable *günstig*
fear s/v *Angst,
  Furcht / fürchten*
fearful *ängstlich*
feast *Fest*
feather *Feder*
feed *füttern*
feel *empfinden, fühlen*
feeling *Gefühl*
fellow *Gefährte,
  Kamerad, Kerl*
female *weiblich*
feminine *weiblich*
festival *Fest*
fetch *holen*
fever *Fieber*
few *wenig(e)*
  a few *einige, ein paar*
field *Fach, Feld, Gebiet*
fight s/v *Kampf /
  kämpfen*
figure *Gestalt, Zahl*
file *Reihe*
fill *füllen, tanken*
film *Film*
finally *endlich, schließlich*
find *feststellen, finden*
fine s *Strafe*
fine adj *dünn, fein,
  hübsch, schön*
finger *Finger*
finish s/v *Ziel / beenden*
finished *fertig*
fire *Feuer*
  make a fire *heizen*
  be on fire *brennen*
firm s *Firma*
firm adj *fest, hart*
first *erst, der erste*
  at first *anfangs, zuerst*
  first of all *erstmal,
  zuerst, zunächst*
  in the first place *erstens*

fish *Fisch*
fist *Faust*
fit *passen*
fix *festmachen*
fixed *fest*
flag *Fahne*
flame *Flamme*
flat s *Wohnung*
flat adj *flach*
flee *fliehen*
flesh *Fleisch*
flight *Flucht, Flug*
floor *Boden, Stock*
flour *Mehl*
flourish *blühen*
flow *fließen*
flower *Blume*
flu(e) *Grippe*
fly s/v *Fliege / fliegen,
  fliehen*
fog *Nebel*
fold *falten*
folder *Mappe*
follow *folgen*
food *Essen, Lebensmit-
  tel, Nahrung, Speise*
fool *Narr*
foot *Fuß*
football *Fußball*
forbid *verbieten*
force s/v *Gewalt, Kraft,
  Macht, Stärke /
  zwingen*
foreign countries
  Ausland
foreign *fremd*
foreigner *Fremde(r)*
forenoon *Vormittag*
forest *Wald*
forget *vergessen*
forgive *verzeihen*
fork *Gabel*
form s/v *Form, Ge-
  stalt / bilden*
fortune *Schicksal,
  Vermögen*
forward(s) *vorwärts*
France *Frankreich*
frank *offen*
free *frei, umsonst*

freedom *Freiheit*
freeze *frieren*
French *französisch*
Frenchman *Franzose*
frequent(ly) *häufig*
fresh *frisch*
friend *Freund*
friendly *freundlich*
fright *Schreck*
from *ab*
  from that/it *davon*
front *Vorderseite*
  in front *vorn*
frontier *Grenze*
fruit *Frucht, Obst*
full(y) *voll, völlig*
full stop *Punkt*
fun *Spaß*
funny *komisch, lustig*
fur *Fell*
furnish *liefern*
furniture *Möbel*
further(more) *ferner,
  future Zukunft [weiter*

gain s/v *Gewinn / er-
  werben, gewinnen*
game *Spiel*
garden *Garten*
gas *Gas, Benzin*
gate *Tor*
gather *pflücken, sam-
  meln, versammeln*
gay *froh, heiter, lustig*
gear (up/down) *schal-
  ten*
general *allgemein,
  gewöhnlich*
generally *gewöhnlich,
  überhaupt*
gentle *leise, sanft*
gentleman *Herr*
German s/adj *Deutsche
  m, f / deutsch*
Germany *Deutschland*
get *bekommen, besor-
  gen, erhalten, errei-
  chen, kriegen, werden*

get in *einsteigen,*
  eintreten
get out *aussteigen*
get up *aufstehen; auf!*
gift *Gabe, Geschenk*
girl *Fräulein, Mädchen*
give *geben, reichen,*
  schenken
glad *froh*
gladly *gern*
glass *Glas*
glasses pl *Brille sg*
glorious *herrlich*
glory *Ruhm*
glove *Handschuh*
gnat *Mücke*
go *fahren, gehen, laufen*
  go it! *los!*
  let's go *los!*
  here goes *los!*
go along *weitergehen*
go away *wegfahren,*
  weggehen
go down *untergehen*
go on *fortfahren*
  go on! *los!*
go out *hinausgehen*
go up *steigen*
go with *begleiten*
goal *Tor n*
God *Gott*
gold *Gold*
gone *dahin, fort*
good *gut*
goods *Ware*
government *Regierung*
grade *Klasse*
gradually *nach und nach*
grain *Getreide, Korn*
gram(me) *Gramm*
grand *großartig,*
  herrlich
grandmother *Groß-*
  mutter
grant *gewähren*
grapes pl *Wein sg*
grass *Gras*
grave *ernst*
great *fein, groß, stark*
green *grün*

greet *grüßen*
greeting *Gruß*
grey *grau*
grip *Griff*
ground *Boden, Erde,*
  Grund
group *Abteilung,*
  Gruppe
grow *wachsen, werden*
to guard (against) *sich*
  hüten (vor)
guess *raten, vermuten*
guest *Gast*
guilty *schuldig*
gum *Gummi*
gun *Gewehr*
do gymnastics *turnen*

habit *Gewohnheit*
hair *Haar*   [*halb*
half s/adj; adv *Hälfte /*
  by halves *halb*
hall *Halle*
hammer *Hammer*
hand *Griff, Hand*
  at hand *vorhanden*
  on the other hand
    dagegen   [*tuch*
handkerchief *Taschen-*
handy *geschickt*
hang *hängen*
  hang up *aufhängen*
happen *geschehen,*
  passieren
happy *glücklich*
harbour *Hafen*
hard *hart, heftig*
hardly *kaum*
harm *Leid, Schaden*
  do harm *schaden*
harvest *Ernte*
haste *Eile*
hat *Hut m*
hate *hassen*
have *besitzen, haben*
have to *sollen, müssen*
head *Chef, Haupt,*
  Kopf, Spitze
  at the head *vorn*

head-light *Scheinwerfer*
headmaster *Direktor,*
heal *heilen*   [*Rektor*
in good health *gesund*
healthy *gesund*
hear *erfahren, hören,*
  verstehen
heart *Herz*
  by heart *auswendig*
heat s/v *Hitze / heizen*
heaven *Himmel*
heavy *schwer*
height *Größe, Höhe*
help s/v *Hilfe / helfen*
  help o.s. *sich bedienen*
hen *Huhn*
here *her, hier, hierher*
hide *verbergen,*
  verstecken
high *hoch*
hike *wandern*
hill *Hügel*
history *Geschichte*
hit *schlagen, treffen*
hold *behaupten, ent-*
  halten, fassen, halten
  get hold of *ergreifen*
  take hold of *angreifen*
  hold fast *festhalten*
hole *Loch*
holiday *Urlaub*
holidays *Ferien*
hollow *hohl*
holy *heilig*
home *Haus, Heim,*
  Heimat
  come home *heimkeh-*
  ren, heimkommen
homework *Aufgabe*
honest *anständig*
honey *Honig*
honour *Ehre*
hooked *krumm*
hope s/v *Hoffnung /*
  hoffen
  let's hope *hoffentlich*
horror *Schreck*
horse *Pferd*
be (go) on horseback
  reiten

hospital *Krankenhaus*
hot *heiß*
hotel *Gasthaus, Hotel*
hour *Stunde, Uhr am*
house *Firma, Haus*
household *Haushalt, Wirtschaft*
housewife *Hausfrau*
how *wie*
  how many *wieviel*
  how much *wieviel*
however *dennoch, jedoch*
human being *Mensch*
humanity *Menschheit*
humour *Laune, Stimmung*
a hundred *hundert*
hunger *Hunger*
hungry *hungrig*
hunt *jagen*
hunter *Jäger*
hunting *Jagd*
hurt *schaden, verletzen*
husband *(Ehe)Mann*

I myself *ich selbst*
ice, ice-cream *Eis*
idea *Begriff, Gedanke, Idee*
ideal s/adj *Ideal / ideal*
identity card *Ausweis*
idle *faul*
if *wenn*
ill *krank*
illness *Krankheit*
image *Bild*
imagination *Phantasie*
immediate(ly) *sofort, unmittelbar*
import *einführen*
importance *Bedeutung*
important *wichtig*
impossible *ausgeschlossen, unmöglich*
impression *Eindruck*
improve *verbessern*
in(to) *hinein*
  in that / it *darin*

incline *neigen*
  inclined *schief*
incomparable *unvergleichlich*
increase *wachsen*
indeed *allerdings, wirklich*
  yes, indeed *freilich*
industry *Fleiß, Industrie*
influence *Einfluß*
information *Auskunft*
injure *verletzen*
inner *innere*
insect *Insekt*
inside *(dr)innen*
install *aufstellen, einrichten*
instance *Beispiel*
instead *dafür*
instruction *Unterricht*
instrument *Instrument*
intelligent *klug*
intention *Absicht*
interest *Interesse*
be interested in *sich interessieren*
interesting *interessant*
interrupt *unterbrechen*
interval *Pause*
introduce *einführen, vorstellen*
inventor *Erfinder*
invite *einladen*
invoice *Rechnung*
iron s/v *Eisen / bügeln*
island *Insel*
isle *Insel*
Italy *Italien*

jacket *Jacke*
jealousy *Neid*
job *Aufgabe, Stelle*
joke *Spaß*
journey *Fahrt, Reise*
joy *Freude, Lust*
joyful *freudig, froh*

judge s/v *Richter / beurteilen, richten*
judg(e)ment *Urteil*
juice *Saft*
jump *springen*
junk *Mist*
just *eben, genau, gerade, gerecht, mal, soeben*
just now *soeben, vorhin*

keen *scharf*
keep *aufheben, behalten, halten*
keep on *fortfahren*
key *Schlüssel*
kill *umbringen*
kilogram(me) *Kilogramm*
kilometre *Kilometer*
kind *Art*
kind(ly) *freundlich, liebenswürdig, nett*
kiss *küssen*
kitchen *Küche*
knee *Knie*
knife *Messer*
knock s/v *Schlag / klopfen, schlagen*
know *kennen, können, wissen*
(as) you (may) know *nämlich*
(well-)known *bekannt*
  make known *mitteilen*
knowledge *Kenntnis*

label *Zettel*
labour *Arbeit*
lack *Mangel*
be lacking *fehlen*
ladder *Leiter*
lady *Dame*
  young lady *Fräulein*
lake *See m*
lamp *Lampe*
land s/v *Land / landen*
language *Sprache*

large *groß, weit*
last adj *vorig*
  (at) last *endlich,
  zuletzt*
  the last *der letzte*
last v *dauern*
late *spät*
  later (on) *nachher,
  später*
latest *letzte*
laugh *lachen*
lavatory *Toilette, W.C.*
law *Gesetz*
lay *legen*
  lay down *hinlegen*
layer *Decke*
lazy *faul*
lead *führen*
leaf *Blatt*
leap *Satz*
learn *erfahren, lernen*
  learned *gelehrt*
at least *mindestens,
  wenigstens*
leather *Leder*
leave s/v *Urlaub / ab-
  fahren, hinausgehen,
  verlassen, wegfahren,
  weggehen*
leave-taking *Abschied*
left *linke(r,s)*
  on the left *links*
left (over) *übrig*
leg *Bein*
leisure *Freizeit*
lend *leihen*
length *Länge*
  at length *endlich,
  schließlich*
less *weniger*
lesson *Aufgabe, Lehre,
let *lassen*   [*Stunde*
  let's go! *auf!*
letter *Brief, Buchstabe*
liberty *Freiheit*
lid *Deckel*
lie s *Lüge*
lie v *liegen*
life *Leben*
lift *heben*

light adj *hell, leicht*
light s/v *Lampe, Licht,
  Schein / anzünden;
  leuchten*
lightning *Blitz*
like v *lieben, mögen*
  like better *vorziehen*
like adj/adv *ähnlich,
  gleich, wie*
  be like *gleichen*
  like this / that *so*
likely *wahrscheinlich*
limb *Glied*
limit *Grenze*
line *Leitung, Linie,
  Reihe, Zeile*
linen *Wäsche*
lip *Lippe*
liquid *flüssig*
list *Liste, Verzeichnis*
listen *hören, zuhören*
listener *Hörer*
literature *Literatur*
litre *Liter*
little *gering, klein,
  wenig*
  a little *ein bißchen,
  etwas*
  little by little *nach und
  nach*
live *leben, wohnen*
lively *lebendig, lebhaft*
living *lebendig*
load s/v *Ladung, Last /
  beladen*
location *Lage*
lock s/v *Schloß / ab-
  schließen, verschlie-
  ßen, zuschließen*
long *lang*
  long ago *längst*
  long since *längst*
  as long as *solange*
long-distance call *Fern-
  gespräch*
look s/v *Blick / aus-
  sehen, gucken, sehen*
  look (after) *sorgen*
  look at *ansehen*
  look for *suchen*

  look out for *acht-
  geben, aufpassen, sich
  hüten vor*
looking-glass *Spiegel*
lose *verlieren*
lot *Los*
loud *laut*
love s/v *Liebe / lieben*
low *gering, leise, nied-
  rig, tief*
loyal *treu*
luck *Glück*
lucky *glücklich*
luggage *Gepäck*

machine *Maschine*
mad *toll, verrückt*
mail *Post*
main thing *Hauptsache*
make s *Marke*
make v *arbeiten; lassen,
  machen*
man *Mann, Mensch*
management *Leitung*
mankind *Menschheit*
manner *Art*
many *viele*
  too many *zuviel(e)*
  many a *manche(r,s)*
map *Karte, Landkarte,
  Plan*
march *Marsch*
mark s *Mark*
mark v *bezeichnen*
market *Markt*
marriage *Ehe*
marry *heiraten*
  married *verheiratet*
marvellous *prima*
mass *Masse, Menge*
master *Herr, Lehrer,
  Meister*   [*holz*
match *Spiel; Streich-
material(s) *Material,
  Stoff*
matter *Angelegenheit,
  Materie, Sache*
maybe *vielleicht*
meadow *Wiese*

meal *Essen, Mahlzeit*
take o's meal *essen*
mean adj *häßlich*
mean v *bedeuten, hei-*
ßen, meinen
meaning *Bedeutung,*
Sinn
means *Mittel pl*
by this means *dadurch*
by no means *durchaus*
nicht
(in the) meantime *in-*
zwischen
meanwhile *inzwischen*
measure s/v *Maß /*
messen
meat *Fleisch*
mechanic *Mechaniker*
medicine *Arznei,*
Medizin
meet *abholen, begeg-*
nen, treffen
meeting *Sitzung*
melody *Melodie*
member *Glied, Mit-*
glied
memory *Erinnerung,*
Gedächtnis
mend *flicken*
mention *erwähnen*
don't mention it *bitte*
merchandise *Ware*
merchant *Kaufmann*
merry *fröhlich, lustig*
metal *Metall*
meter, metre *Meter*
middle *Mitte*
in the middle of *mitten*
in
midnight *Mitternacht*
might *Macht*
milk *Milch*
mill *Fabrik, Mühle*
million *Million*
mind s *Geist*
make up o's mind *sich*
entschließen
mind v *aufpassen*
minister *Minister*
minute *Minute*

mirror *Spiegel*
misery *Not*
misfortune *Unglück*
miss *verpassen*
be missing *fehlen*
mist *Nebel*
mistake s/v *Fehler, Irr-*
tum, Versehen / miß-
verstehen
make a mistake *sich*
irren
misunderstand *miß-*
verstehen
mix *mischen*
model *Muster*
moderate *mäßig*
modern *modern*
moment *Augenblick,*
Moment
in a moment *gleich*
money *Geld*
month *Monat*
moon *Mond*
moral *sittlich*
more *mehr*
what is more *außer-*
dem
moreover *außerdem,*
ferner
morning *Morgen,*
Vormittag
in the morning *mor-*
gens
mosquito *Mücke*
at (the) most *höchstens*
mostly *größtenteils,*
meist(ens)
mother *Mutter*
motor *Motor*
motor-bus/coach
(Omni)Bus
motor-cycle *Motorrad*
motor-car *Auto*
motorist *Kraftfahrer*
mount *Berg*
mountain *Berg*
mountains pl *Gebirge sg*
mouse *Maus*
mouth *Mund, Mündung*
mouthful *Schluck*

move *bewegen, rühren*
movie *Film, Kino*
much *sehr, viel*
muck *Mist*
multi-coloured *bunt*
Mummy *Mama*
murder *Mord*
muscle *Muskel*
music *Musik*

nail *Nagel*
naked *nackt*
name *Name*
Christian name *Vor-*
name
first name *Vorname*
by o's name *nament-*
lich
namely *nämlich*
narrow *eng, schmal*
nation *Nation, Volk*
native country *Heimat*
naturally *natürlich*
nature *Natur, Wesen*
near *nahe*
near it *daneben*
nearly *beinahe, fast,*
nahezu
neat *rein, sauber*
necessary *nötig, not-*
neck *Hals* [*wendig*
need s/v *Bedarf, Not /*
brauchen
needle *Nadel*
negotiation *Verhand-*
lung
neighbour *Nachbar*
neighbourhood *Nähe*
neither . . . nor
weder . . . noch
nerve *Nerv*
net *Netz*
never *nie(mals)*
nevertheless *trotzdem*
new *neu*
news sg *Nachricht,*
Neuigkeit
newspaper *Zeitung*
next *nächste(r,s)*

wages pl *Lohn sg*
wait for *erwarten,
warten*
  wait on *bedienen*
wake up *wecken*
waken *wecken*
walk *Gang*
  walk / take a walk
  *gehen, laufen, schrei-
ten, spazierengehen,
wandern*
wall *Mauer, Wand*
wander *wandern*
want s/v *Bedarf, Man-
gel / brauchen, mögen,
verlangen, wollen,
wünschen*
war *Krieg*
wardrobe *Schrank*
wares *Ware*
warm *warm*
warmth *Wärme*
warn *warnen*
wash *waschen*
watch *Uhr*
water s/v *Wasser /
gießen*
wave *wehen, winken*
way *Art, Richtung,
Weg, Weise*
  that way *so*
  this way *hierher*
  by the way *nebenbei,
übrigens*
  way in *Eingang*
  way out *Ausfahrt,
Ausgang*
w.c. *Toilette, WC*
we *man*
weak *schwach*
weapon *Waffe*
wear *tragen*
weather *Wetter*
week *Woche*
weekend *Wochenende*
weep *weinen*
weigh *wiegen*
weight *Gewicht*
welcome *willkommen*
  you're welcome *bitte*

well *also; gesund, gut;
na; recht, wohl*
  as well *ebenfalls,
ebenso, gleichfalls*
  as well as *sowie, so-
wohl . . . als auch*
west *Westen*
wet *naß*
what *was, welch/e(r,s)*
  at/in/of what *woran*
  with what *womit*
wheat *Weizen*
wheel *Rad*
when *wann, wenn*
where *wo(hin)*
  from where *woher*
whether *ob*
which *welche(r,s)*
while s/conj *Weile /
solange*
  a little while ago
  vorhin
whistle *Pfeife*
white *weiß*
who *wer*
whole *ganz*   [*haupt*
  on the whole *über-*
wholly *ganz*
whom *wen*
  to whom *wem*
why *warum, wieso*
  that's why *darum,
deshalb, deswegen*
wide *breit, weit*
wife *Frau*
wild *wild*
will *Wille*
win *gewinnen*
wind *Wind*
window *Fenster*
wine *Wein*
wing *Flügel*
winter *Winter*
wipe (clean) up *abtrock-
nen; (ab)wischen*
  wipe out *auswischen*
wire *Draht*
wireless *Funk, Radio
Rundfunk*
wise *weise*

wish s/v *Wunsch /
wünschen*
with that/it *dazu*
within *(dr)innen*
woman *Frau*
wonder *wundern*
wonderful *großartig,
herrlich, prima*
wood *Holz, Wald*
wool *Wolle*
word *Wort*
work s/v *Arbeit, Dienst,
Werk / arbeiten,
schaffen, wirken*
  work of art *Kunstwerk*
worker *Arbeiter*
workman *Arbeiter*
works pl *Betrieb,
Fabrik sg*
workshop *Betrieb*
world *Erde, Welt*
worry *Sorge*
worth s/adj *Wert / wert*
  be worth *gelten*
worthy *würdig*
wound s/v *Wunde /
verwunden*
write *schreiben*
writing *Schrift*
wrong *falsch*

year *Jahr*
  every year / yearly
  jährlich
yellow *gelb*
yes *ja*
yesterday *gestern*
  the day before
  yesterday *vorgestern*
yet *jedoch, sogar*
  as yet *bisher*
you *man*
young *jung*
young people *Jugend*
youth *Jugend*

zero *Null*
zone *Zone*

Französisch—Deutsch / Français—Allemand / French—German

s'abaisser *sinken*
abandonner *verlassen*
abdomen *Bauch*
abîmé *kaputt*
d'abord *erst, zuerst*
  tout d'abord *erstmal,*
  zunächst
absence *Mangel*
absent *fort*
absolument *unbedingt*
accepter *annehmen*
accès *Zutritt*
accident *Unfall*
accompagner *begleiten*
accomplir *leisten,*
  vollenden
d'accord *einverstanden*
accorder *gewähren,*
  stimmen
s'accoutumer *sich ge-*
  wöhnen
accrocher *aufhängen*
  être accroché *hängen*
s'accroître *wachsen*
accueillir *aufnehmen*
accusé s/adj *Angeklag-*
  ter / angeklagt
achat *Kauf*
acheter *kaufen*
achever *vollenden*
acide *sauer*
acier *Stahl*
acquérir *erwerben*
acte *Tat*
actif *tätig*
  être actif *sich regen*
action *Handlung, Tat,*
  Wirkung
adieux pl *Abschied* sg
adresse *Adresse*
adroit *geschickt, ge-*
  wandt
adversaire *Gegner*
affaire *Angelegenheit,*
  Geschäft, Sache
affamé *hungrig*

affectueux *herzlich*
affirmer *behaupten*
âge *Alter* n
agent (de police) *Polizist*
agir *wirken*
agréable *angenehm,*
  freundlich, gemütlich
agriculteur *Landwirt*
agriculture *Landwirt-*
  schaft
aide *Hilfe*
aider *helfen*
aigre *sauer*
aigu *spitz*
aiguille *Nadel*
aile *Flügel*
ailleurs *anderswo(hin)*
d'ailleurs *überhaupt,*
  übrigens
aimable *freundlich,*
  liebenswürdig
aimer *lieben*
  aimer mieux *vorziehen*
ainsi *so*
  ainsi que *sowie*
air *Luft; Melodie*
  avoir l'air *aussehen*
à l'aise *bequem*
ajouter *hinzufügen*
aliments *Lebensmittel*
Allemagne *Deutschland*
allemand *deutsch*
Allemand *Deutscher*
aller *fahren, gehen,*
  laufen
  s'en aller *wegfahren,*
  weggehen
aller prendre *abholen*
aller se promener
  spazierengehen
allez! *los!*
allons *auf!, los!*
allumer *anmachen, an-*
  zünden, einschalten
allumette *Streichholz*
allure *Gang*

alors *da, damals, dann*
âme *Seele*
améliorer *verbessern*
amende *Strafe*
amener *bringen, mit-*
  bringen
amer *bitter*
Amérique *Amerika*
ami *Bekannter,*
  Freund
amour *Liebe*
ample *weit*
an *Jahr*
  par an *jährlich*
ancien s/adj *Alte* n /
  alt
anglais *englisch*
Anglais *Engländer*
Angleterre *England*
angoisse *Angst*
animal *Tier*
anneau *Ring*
année *Jahr*
anniversaire *Geburtstag*
annonce *Anzeige*
annoncer *melden*
anxieux *ängstlich*
apercevoir *erblicken*
  s'apercevoir *bemerken,*
  merken
apparaître *erscheinen*
appareil *Apparat, Ge-*
  rät, Kamera,
  Maschine
appartement *Wohnung*
appartenir *gehören*
appel *Anruf, Ruf*
appeler *anrufen, rufen,*
  telefonieren
s'appeler *heißen*
application *Fleiß*
appliquer *anwenden*
apporter *bringen, mit-*
  bringen
apprendre *erfahren,*
  lehren, lernen

apprenti *Lehrling*

après cela *danach, hierauf*

après (coup) *hinterher*

après-demain *übermorgen*

après-midi *Nachmittag*

arbre *Baum*

argent *Geld, Silber*

arme *Waffe*

armée *Heer*

armoire *Schrank*

arracher *abreißen, reißen*

arrangement *Ordnung*

arranger *einrichten, ordnen*

arrêt *Aufenthalt, Halt*

arrêter *anhalten, verhaften*

s'arrêter *aufhören, halten*

en arrière *hinten, rückwärts, zurück*

arrivée *Ziel*

arriver *ankommen, geschehen, passieren*

arroser *gießen*

art *Kunst*

article *Artikel, Ware*

artiste *Künstler*

aspect *Anblick*

assembler *zusammensetzen*

assez *genug, ziemlich*

assiette *Teller*

être assis *sitzen*

assurer *versichern*

atelier *Betrieb*

atome *Atom*

attacher *festmachen*

être attaché *hängen*

attaque *Angriff*

attaquer *angreifen*

atteindre *erreichen, treffen*

en attendant *inzwischen*

attendez! *Halt!*

attendre *warten*

s'attendre *erwarten*

attentif *aufmerksam*

attention *Achtung!, Aufmerksamkeit*

faire attention *achten, achtgeben, aufpassen*

atterrir *landen*

attirer *anziehen*

attitude *Haltung*

attraper *fangen*

aucun *keine(r,s)*

au-dessous *darunter, unten*

auditeur *Hörer*

aujourd'hui *heute, heutzutage*

au moins *wenigstens*

auparavant *vorher*

aussi *auch, ebenfalls, ebenso*

aussi bien que *sowie*

aussi longtemps que *solange*

aussitôt *sofort*

autant *soviel*

d'autant *desto*

auto *Auto*

autobus *Bus*

autocar *Bus*

auto-école *Fahrschule*

automne *Herbst*

automobiliste *Kraftfahrer*

autorité *Behörde*

autour *herum, umher*

tout autour *rings(umher)*

autre *andere(r,s)*

l'un l'autre *einander*

l'un après l'autre *hintereinander, nacheinander*

l'un avec l'autre *miteinander*

autrefois *früher*

autrement *anders, sonst*

autre part *anderswo(hin)*

entre autres *unter anderem*

avaler *schlucken*

d'/à l'avance *vorher*

avancer *vorrücken*

avant *vorher, vorn*

avant tout *besonders, vor allem*

en avant! *los!*

en avant *voraus, vorwärts*

avantage *Vorteil*

avant-hier *vorgestern*

avec cela *dazu*

avenir *Zukunft*

avertir *warnen*

aveugle *Blinde(r)*

avion *Flugzeug*

aller en avion *fliegen*

prendre l'avion *fliegen*

avis *Ansicht, Bekanntmachung, Meinung*

avoir *besitzen, haben*

avoir l'air (de) *aussehen (wie)*

avouer *gestehen*

bagages pl *Gepäck sg*

bague *Ring*

baguette *Stab*

(se) baigner *baden*

bain *Bad*

donner / prendre un bain *baden*

salle de bains *Bad*

bal *Ball*

balai *Besen*

balance *Waage*

balayer *fegen, kehren*

balle *Ball, Kugel*

ballon *Ball, Fußball*

banane *Banane*

banc *Bank*

bande *Band n* [*institut*]

banque *Bank (Geld-*

banquette *Bank*

bariolé *bunt*

bas *gemein, gering, leise, niedrig, tief*

à / en bas *herunter, hinunter, unten*

vers le bas *abwärts*

culture *Kultur*
curieux *merkwürdig*
curiosité *Neugier*

d'abord *(zu)erst, zunächst*
d'accord *einverstanden*
d'ailleurs *übrigens*
dame *Dame*
danger *Gefahr, Not*
dangereux *gefährlich*
danse *Tanz*
davantage *mehr*
debout! *auf!*
debout *stehend*
être debout *stehen*
début *Anfang, Beginn*
débuter *anfangen*
décéder *sterben*
décharger *abladen*
déchirer *reißen,*
zerreißen
décider *beschließen,*
entscheiden
se décider *sich ent-*
schließen
être décidé *ent-*
schlossen sein
décision *Beschluß,*
Entschluß
déclaration *Erklärung*
déclarer *erklären*
décoller *starten*
découvrir *entdecken*
décrire *darstellen*
décroître *abnehmen*
dedans *drinnen, hinein*
(au-)dedans *innen*
défaire *lösen*
défaut *Fehler*
défendre *verbieten,*
verteidigen
degré *Grad, Stufe*
dehors *draußen, hinaus*
au-dehors *draußen*
(au) dehors *außen*
(en) dehors *heraus*
déjà *bereits, schon*
(petit) déjeuner
Frühstück

délicat *zart*
demain *morgen*
demande *Bitte,*
Nachfrage
demander *bitten, for-*
dern, fragen, ver-
langen
démarrage *Start*
démarrer *starten*
demeurer *bleiben,*
wohnen
(à) demi *halb*
faire demi-tour *um-*
kehren
demoiselle *Fräulein*
démolir *abreißen,*
zerstören
dense *dicht*
dent *Zahn*
départ *ab; Start*
département *Abteilung*
dépasser *überholen*
dépendre *abhängen*
dépenser *ausgeben*
dépenses *Kosten pl*
depuis *seit*
depuis lors *seitdem*
déranger *stören*
dernier *letzte(r,s)*
vorig
le dernier *zuletzt*
dernièrement *vor kurzem*
derrière *dahinter, hinten*
dès *ab*
en descendant *abwärts,*
hinunter
descendre *aussteigen*
désert *Wüste*
déshabiller *ausziehen*
désir *Lust, Wunsch*
désirer *wünschen*
en désordre *durch-*
einander
dessiner *zeichnen*
destin, destinée *Schick-*
sal
détacher *lösen*
détruire *vernichten,*
zerstören
dette *Schuld*

les deux *beide*
devant *s/adv Vorder-*
seite / vorbei, vorn
développement *Ent-*
wicklung
développer *entwickeln*
devenir *werden*
déviation *Umleitung*
deviner *raten*
devoir *s/v Aufgabe,*
Pflicht / müssen,
schulden, sollen
dévorer *fressen*
Dieu *Gott*
différence *Unterschied*
différent *verschieden*
difficile *schwer,*
schwierig
difficulté *Schwierigkeit*
digne *würdig*
dignité *Würde*
dîner *Abendessen*
dire *sagen*
c'est-à-dire *nämlich*
pour ainsi dire *sozu-*
sagen
vouloir dire *bedeuten*
à vrai dire *eigentlich*
directement *direkt,*
gerade, unmittelbar
directeur *Direktor*
direction *Leitung,*
Richtung
diriger *führen, richten*
discours *Rede*
disparaître *ver-*
schwinden
disque *Schallplatte*
distance *Entfernung,*
Strecke
distant *entfernt*
distinct *deutlich*
distinguer *unter-*
scheiden
divers *verschieden*
diviser *spalten, teilen*
division *Abteilung*
dix *zehn*
docteur *Arzt, Doktor*
doctrine *Lehre*

fermer à clef *abschließen, verschließen, zuschließen*
fermeture *Schluß*
fête *Fest*
fêter *feiern*
feu *Feuer*
  faire du feu *heizen*
feuille *Blatt*
ficelle *Schnur*
fiche *Zettel*
fichu *kaputt*
fidèle *treu*
fier *stolz*
fièvre *Fieber*
figure *Gesicht, Gestalt*
fil *Faden*
  fil de fer *Draht*
file *Reihe*
filet *Netz*
fille *Tochter*
  jeune fille *Mädchen*
film *Film*
fils *Sohn*
fin adj *dünn, fein*
fin s *Ende, Schluß, Zweck*
  à la fin *endlich, zuletzt*
finalement *schließlich*
fini *fertig, vorbei*
finir *aufhören, beenden, [enden*
fixe *fest*
fixer *festmachen*
flamme *Flamme*
fleur *Blume*
  être en fleur *blühen*
fleurir *blühen*
fleuve *Strom*
flotter *wehen*
foi *Glaube*
foire *Messe*
(foire-)exposition [*Ausstellung*
fois *Mal*
  une fois *einmal*
  cette fois-ci *diesmal*
  chaque fois *jedesmal*
  à la fois *gleichzeitig, zugleich*
  bien des fois *vielmals*

fonction *Amt*
fonctionnaire *Beamter*
fond *Boden, Grund*
  au fond *eigentlich*
football *Fußball*
force *Gewalt, Kraft, Stärke*
forcer *zwingen*
forêt *Wald*
formation *Ausbildung*
forme *Form, Gestalt*
former *bilden* [*stark*
fort *heftig, kräftig, laut,*
fortune *Schicksal, Vermögen*
fou s/adj *Narr / toll, verrückt*
foudre *Blitz*
foulard *Tuch*
foule *Menge*
fourchette *Gabel*
fourneau *Herd*
fournir *liefern, stellen*
fourrure *Fell*
foyer *Heim*
frais adj *frisch, kühl*
frais s/pl *Kosten pl*
franc *offen*
français *französisch*
Français *Franzose*
France *Frankreich*
frapper *auffallen; klopfen, schlagen*
fréquemment *häufig*
fréquent *häufig*
fréquenter *besuchen*
frère *Bruder* [*kühl*
froid s/adj *Kälte / kalt,*
  avoir froid *frieren*
  prendre froid *sich erkälten*
fromage *Käse*
front *Vorderseite*
frontière *Grenze*
frotter *reiben*
fruit *Frucht*
fruits pl *Obst sg*
fuir *fliehen*
fuite *Flucht*
fumée *Rauch*

fumer *rauchen*
fumier *Mist*
fusée *Rakete*
fusil *Gewehr*
futur *Zukunft*

gagner *erwerben, gewinnen, verdienen*
gai *froh, fröhlich, heiter, lustig*
gain *Gewinn*
gant *Handschuh*
garçon *Junge*
prendre garde *achtgeben, aufpassen, sich hüten*
garder *aufheben, behalten*
  se garder *sich hüten*
gâteau *Kuchen*
gâter *verderben*
gauche *linke(r,s)*
  à gauche *links*
gaz *Gas*
geler *frieren*
gêner *hindern*
général *allgemein*
genou *Knie*
gens *Leute*
  jeunes gens *Jugend*
gentil *nett*
glace *Eis, Fenster, Spiegel*
glissant *glatt*
gloire *Ruhm*
gomme *Gummi, Radiergummi*
gorge *Brust, Hals*
gorgée *Schluck*
goût *Geschmack*
goûter *kosten, schmecken*
goutte *Tropfen*
gouvernement *Regierung*
grain *Korn*
gramme *Gramm*
grand *groß, lang, stark*
grandeur *Größe*

journal *Zeitung*
journée *Tag*
joyeux *freudig, froh,*
  fröhlich, lustig
juge *Richter*
jugement *Urteil*
juger *beurteilen, richten*
jupe *Rock*
jus *Saft*
jusqu'ici *bisher*
juste *genau, gerecht,*
  richtig
juste(ment) *eben,*
  gerade

kilo(gramme)
  Kilo(gramm)
kilomètre *Kilometer*

là *da, dahin, hin*
de là *daher, daraus*
par là *dadurch*
là(-bas) *dort, dorthin*
là-dedans *darin*
là-dessous *darunter*
là-dessus *darauf, dar-*
lac *See*   [*über*
laid *häßlich*
laine *Wolle*
laisser *lassen*
lait *Milch*
lame *Klinge*
lampe *Lampe*
langue *Sprache, Zunge*
large *breit, weit*
larme *Träne*
lavabo *Toilette*
laver *waschen*
leçon *Aufgabe, Lehre*
léger *leicht*
légume(s) *Gemüse*
lent *langsam*
lettre *Brief, Buchstabe*
lever *heben*
  se lever *aufstehen*
lèvre *Lippe*
liberté *Freiheit*
libre *frei*

lier *binden, verbinden*
lieu *Ort*
  avoir lieu *stattfinden*
  en dernier lieu *zuletzt*
  en premier lieu *zuerst,*
    zunächst
ligne *Leitung, Linie,*
  Reihe, Zeile
limite *Grenze*
linge *Wäsche*
liquide *flüssig*
lire *lesen*
lisse *glatt*
liste *Liste, Verzeichnis*
lit *Bett*
litre *Liter*
littérature *Literatur*
livre f *Pfund*
livre m *Buch*
livrer *liefern*
loi *Gesetz*
loin *fern, fort, weit*
  plus loin *weiter*
lointain s/adv *Ferne /*
  entfernt, fern
loisirs pl *Freizeit sg*
long *lang*
longtemps *lange*
  aussi longtemps que
    solange
  depuis longtemps
    längst
longueur *Länge*
lorsque *wenn*
lot *Los*
louer *mieten*
lourd *schwer*
loyal *treu*
lueur *Schein*
luire *leuchten, scheinen*
lumière *Licht*
lune *Mond*
lunettes pl *Brille sg*
lutte *Kampf*

mâcher *kauen*
machine *Maschine*
magasin *Geschäft,*
  Laden, Lager

magnifique *großartig,*
main *Hand*   [*herrlich*
maint *mancher*
maintenant *jetzt, nun*
mais *sondern*
maison *Firma, Haus*
maître *Herr, Lehrer,*
  Meister   [*Hausfrau*
maîtresse de maison
mal s/adj *Krankheit,*
  Leid, Schaden, Weh /
  böse
  faire du mal *schaden*
malade s/adj *Kranke(r)/*
  krank
maladie *Krankheit*
malgré tout (cela)
  trotz alledem
malheur *Unglück*
malheureusement
  leider
malle *Koffer*
malpropre *schmutzig*
malsain *ungesund*
maman *Mama*
manche m *Griff*
manger s/v *Essen /*
  essen, fressen   [*sein*
  avoir assez mangé *satt*
manière *Art, Weise*
manque *Mangel m*
manquer *fehlen, ver-*
  passen
manteau *Mantel*
marchandise *Ware*
marche . . . arrêt
  ein . . . aus
marche *Gang, Lauf,*
  Marsch, Stufe
marché *Einkauf, Markt*
  bon marché *billig*
marcher, *gehen, laufen,*
  schreiten, wandern
mari *Mann*
mariage *Ehe*
marié *verheiratet*
  non marié *ledig*
se marier *heiraten*
mark *Mark*
marque *Marke*

partir *abfahren, starten, wegfahren, weggehen*
à partir de *ab*
partout *überall*
pas *Schritt, Tritt*
faire un pas *treten*
pas un *keine(r,s)*
ne ... pas *nicht*
ne ... pas du tout *gar nicht*
passage *Durchfahrt*
en passant *nebenbei*
passé s/adv *Vergangenheit / dahin, vorbei, vorig, vorüber*
passer *gelten, reichen, streichen, verbringen, vergehen, weitergehen*
se passer *geschehen, passieren*
passeport *Paß*
passion *Leidenschaft*
patience *Geduld*
patrie *Heimat*
patron *Alter, Chef, Meister*
pause *Pause*
pauvre *arm*
paye *Gehalt n, Lohn*
payer *bezahlen, zahlen*
pays *Heimat, Land*
paysan *Bauer*
peau *Fell, Haut*
peigne *Kamm*
peindre *malen, streichen*
peine *Mühe, Sorge*
à peine *kaum*
peinture *Farbe*
pêle-mêle *durcheinander*
peler *schälen*
pellicule *Film*
penché *schief*
pendant *hindurch*
pendre *aufhängen*
pensée *Gedanke*
penser *denken, glauben, meinen*
en pente *schief*

perdre *verlieren*
perdu *ab, weg*
père *Vater*
permettre *erlauben*
permis de conduire *Führerschein*
permission *Erlaubnis*
avoir la permission *dürfen*
personnage *Person, Rolle*
personne *Mensch, Person*
ne ... personne *niemand*
personnel *persönlich*
peser *wiegen*
petit *gering, klein, leicht*
pétrole *Öl*
peu *wenig*
un peu *ein bißchen, etwas, mal*
peu à peu *nach und nach*
peuple *Volk*
peur *Angst, Furcht*
avoir peur *(sich) fürchten*
peut-être *etwa, vielleicht*
phare *Scheinwerfer*
pharmacie *Apotheke*
photo *Aufnahme, Bild, Foto*
prendre des photos *aufnehmen*
photographier *fotografieren*
phrase *Satz*
piano à queue *Flügel*
pièce *Raum, Stück, Zimmer*
pièce de théâtre *Schauspiel, Theaterstück*
mettre en pièces *zerschlagen*
pied *Fuß*
pierre *Stein*

pinceau *Pinsel*
pipe *Pfeife*
piquer *stechen*
piscine *Bad*
pitié *Mitleid*
placard *Schrank*
place *Ort, Platz, Raum, Sitz, Stand, Stelle*
mettre en place *aufstellen*
placer *legen, setzen, stellen, tun*
être placé *liegen*
plafond *Decke*
plaindre *klagen*
plainte *Klage*
plaire *gefallen*
s'il te / vous plaît *bitte*
plaisanterie *Spaß*
plaisir *Freude, Spaß, Vergnügen*
avec plaisir *gern*
plan *Plan*
planche *Brett*
plancher *Boden*
plante *Pflanze*
planter *pflanzen*
plat *eben, flach*
plat *Gericht, Speise; Schüssel*
plein *voll*
pleurer *weinen*
plier *falten*
pluie *Regen*
plume *Feder*
la plupart du temps *meist(ens)*
pour la plupart *größtenteils*
plus *mehr*
plus ... plus *je ... desto*
de plus *außerdem, ferner*
en plus *nebenbei*
tout au plus *höchstens*
plusieurs *mehrere*
plusieurs fois *mehrmals*
plutôt *eher, lieber, vielmehr*
pneu *Reifen*

poche *Tasche*
poêle *Ofen*
poème *Gedicht*
poète *Dichter*
poids *Gewicht*
poignée *Griff*
poing *Faust*
point *Punkt*
  mettre au point *ein-*
  stellen
  point de vue *Stand-*
  punkt
pointe *Spitze*
  en pointe *spitz*
pointu *spitz*
poire *Birne*
poison *Gift*
poisson *Fisch*
poitrine *Brust*
poli *glatt, höflich*
police *Polizei*
politique s/adj *Politik/*
  politisch
pomme *Apfel*
  pomme de terre *Kar-*
  toffel
ponctuel *pünktlich*
pont *Brücke*
populaire *beliebt*
population *Bevölkerung*
porc *Schwein(efleisch)*
port *Hafen*
porte *Tor, Tür*
porter *bringen, tragen*
portière *Tür*
poser *hinlegen, legen,*
  setzen, stellen
position *Lage, Stand,*
  Stellung
posséder *besitzen*
possession *Besitz*
possibilité *Möglichkeit*
possible *möglich*
  pas possible! *ach!*
poste f *Post*
  poste aérienne *Luft-*
  post
poste m *Gerät, Posten*
  poste de radio *Radio,*
  Radioapparat

pot *Topf*
potage *Suppe*
pouce *Daumen*
poule *Huhn*
poulet *Hühnchen*
pour ainsi dire
  sozusagen
pour cela *daher,*
  darum, deshalb
pour-cent *Prozent*
pourquoi *warum*
  c'est pourquoi *daher,*
  darum, deshalb, des-
  wegen
poursuivre *fortsetzen,*
  verfolgen
pourtant *doch*
pousser *schieben, sto-*
  ßen, wachsen
poussière *Staub*
pouvoir s/v *Gewalt,*
  Kraft, Macht / dür-
  fen, können
prairie *Wiese*
pratique s/adj *Übung/*
  praktisch ⌈*treiben*
pratiquer *(aus)üben,*
pré *Wiese*
précaution *Vorsicht*
précieux *kostbar*
précisément *genau,*
  gerade
préférer *vorziehen*
premier *erste(r,s)*
  le premier *zuerst*
premièrement *erstens*
prendre *dauern, fangen,*
  fassen, nehmen
prendre avec soi *mit-*
  ⌈*nehmen*
prendre la parole *das*
  Wort ergreifen
prénom *Vorname*
préparer *vorbereiten*
près *nahe*
  à peu près *beinahe,*
  fast, nahezu, ungefähr
  tout près d'ici *nebenan*
présence *Besuch,*
  Gegenwart

présent s *Geschenk*
présent adv *da, dabei,*
  vorhanden ⌈*jetzt*
  à présent *gegenwärtig,*
présenter *bieten, vor-*
  stellen
président *Präsident,*
  Vorsitzender
presque *beinahe, fast*
presse *Presse*
presser *drängen,*
  drücken
pression *Druck*
prêt *bereit, fertig*
prétendre *behaupten*
prêter *leihen*
preuve *Beweis*
prier *bitten*
  je vous en prie *bitte*
prière *Bitte*
principal s, chose prin-
  cipale *Hauptsache*
principe *Grundsatz*
printemps *Frühjahr,*
  Frühling
priorité *Vorfahrt*
prise *Aufnahme*
prison *Gefängnis*
privé *privat*
prix *Preis, Wert*
probable *wahrschein-*
  lich
problème *Problem*
procédé *Verfahren*
prochain *nächste(r,s)*
proche *nahe*
  le plus proche *nächste*
procurer *besorgen*
produire *erzeugen, her-*
  stellen, schaffen
  se produire *entstehen,*
  geschehen
produit *Produkt*
professeur *Lehrer*
profession *Beruf*
professionnel *beruflich*
profit *Gewinn, Nutzen*
profond *tief*
programme *Programm*
progrès *Fortschritt*

réparer *flicken*

repas *Essen, Mahlzeit*
  prendre son repas
  essen

repasser *bügeln*

répéter *wiederholen*

répondre *antworten*

réponse *Antwort*

repos *Ruhe*

reposer *ruhen*
  se reposer *ausruhen*

représentation *Vor-
  stellung*

représenter *darstellen,
  vorstellen*

république *Republik*

résidence *Wohnung*

résister *Widerstand
  leisten*   [*sen sein*

être résolu *entschlos-*

résolution *Beschluß*

résoudre *beschließen,
  entscheiden*
  se résoudre *sich ent-
  schließen*

respect *Achtung*

respecter *achten*

ressembler *gleichen*

ressentir *empfinden*

restant s/adv *Rest /
  übrig*

restaurant *Gasthaus*

reste *Rest*
  de reste, qui reste
  übrig
  du reste *übrigens*

rester *bleiben*

résultat *Ergebnis*

retarder *nachgehen*

retour *Rückkehr*
  de retour *zurück*

retourner *umkehren,
  zurückkehren*

réunification *Wieder-
  vereinigung*

réunir *verbinden, ver-
  einigen*

réussir *gelingen*
  mal réussir *mißlingen*

rêve *Traum*

(r)éveiller *wecken*

revoir *durchsehen,
  wiedersehen*

révolution *Revolution*

rhume *Erkältung,
  Schnupfen*

riche *reich*

rideau *Gardine, Vor-
  hang*

ne … rien *nichts*
  rien du tout *gar nichts*
  pour rien *umsonst*

rire *lachen*

risque *Gefahr*

risquer *wagen*

rive *Ufer*

rivière *Fluß*

robe *Kleid*

robinet *(Wasser)Hahn*

rocher *Fels*

rôle *Rolle*

roman *Roman*

rompre *brechen*

rond *rund*

rond *Kreis, Ring*

rose *Rose*

rôtir *braten*

roue *Rad*

rouge *rot*

rouleau *Rolle*

rouler *drehen, rollen*

route *Landstraße,
  Straße, Weg*
  en route! *auf!, los!*
  route déviée *Umleitung*

ruban *Band n*

rue *Straße*

ruiner *verderben,
  zerstören*

sable *Sand*

sac *Sack, Tasche*

sacré *heilig*

sacrifice *Opfer*

sage *weise*

sain *gesund*

saint *heilig*

saisir *ergreifen, fassen,
  greifen*

saison *Jahreszeit*

salaire *Lohn*

sale *schmutzig*

salle *Halle*

saluer *grüßen*

salut *Gruß*

salutation *Gruß*

sang *Blut*

en bonne santé *gesund*

satellite *Satellit*

satisfait *zufrieden*

saucisson *Wurst*

sauter *springen*

sauvage *wild*

sauver *retten*
  se sauver *weglaufen*

savant s/adj *Forscher/
  gelehrt*

savoir *können, wissen*
  à savoir *nämlich*
  faire savoir *mitteilen*

savon *Seife*

scène *Bühne, Szene*

science *Lehre, Wissen-
  se sich   [schaft*

séance *Sitzung*

seau *Eimer*

sec *trocken*

seconde *Sekunde*

secouer *schütteln*

secours *Hilfe*

secret *geheim*

sécurité *Sicherheit*

sein *Brust*

séjour *Aufenthalt*

sel *Salz*

semaine *Woche*

semblable *ähnlich,
  gleich*

sembler *scheinen*

semer *säen*

sens *Richtung, Sinn*

sentiment *Gefühl*

sentir *fühlen, riechen*

séparé *einzeln*

séparer *trennen*

série *Reihe*

sérieux *ernst   [nen*

serrer *drücken, span-*

serrure *Schloß*

température *Temperatur*
tempête *Sturm*
temps *Wetter, Zeit*
  en même temps
  gleichzeitig, zugleich
  entre temps *inzwischen*
tendre adj *weich, zart*
tendre v *reichen,*
tenir *halten* [*spannen*
tente *Zelt*
terme *Ausdruck*
terminer *beenden,*
  enden
terrain *Grund, Land*
terre *Boden, Erde*
terreur *Schrecken*
terrible *furchtbar*
territoire *Gebiet*
tête *Haupt, Kopf, Spitze*
thé *Tee*
théâtre *Theater*
théorie *Lehre*
ticket *Fahrkarte, Karte*
timbre *Marke*
tirer *reißen, schießen,*
  ziehen
toilette(s) *Kleidung;*
  Toilette, W.C.
toit *Dach* [*stürzen*
tomber *fallen, hinfallen,*
ton *Ton*
tonnerre *Donner*
torche *Lampe*
tordu *krumm*
tôt *früh*
  plus tôt *früher*
toucher *berühren,*
  ergreifen
toujours *immer, stets*
tour m *Fahrt, Reise*
tourner *(sich) drehen,*
  wenden
tous *alle*
  tous (ensemble)
  sämtliche
tousser *husten*
tout *alles*
  tout à fait *durchaus,*
  ganz

tout de suite *gleich,*
  sofort
  tout (entier) *ganz*
toutefois *dennoch,*
  jedoch
trace *Spur*
tracteur *Traktor*
traduire *übersetzen*
train *Zug*
se traîner *kriechen*
trait *Zug (Gesicht)*
traitement *Gehalt*
traiter *behandeln*
trajet *Reise*
tramway *Straßenbahn*
tranchant *scharf*
tranquille *ruhig, still*
transformer *verwandeln*
transpirer *schwitzen*
travail *Arbeit*
travailler *arbeiten,*
  schaffen, wirken
travailleur *Arbeiter*
à travers *hindurch,*
  quer durch / über
traverser *durchqueren,*
  überqueren
trembler *zittern*
très *sehr*
tribu *Stamm*
tribunal *Gericht*
tripier *Fleischer, Metz-*
  ger
triste *traurig*
tronc *Stamm*
trop *zuviel*
trou *Loch*
troubler *stören, ver-*
  wirren
trouver *finden*
se trouver *liegen*
tuer *umbringen*
type *Kerl*

un à un *einzeln*
  plus d'un *manche(r,s)*
unifier *vereinigen*
Union Soviétique
  Sowjetunion

unique *einzig*
unir *verbinden, ver-*
  einigen
univers *All*
urgent *dringend*
usage *Anwendung,*
usé *alt* [*Gebrauch*
user *anwenden*
usine *Betrieb, Fabrik,*
  Werk
utile *nützlich*
  être utile *nützen*
utiliser *benutzen,*
  gebrauchen

vacances *Ferien*
vacant *leer*
vache *Kuh*
en vain *umsonst, ver-*
  gebens
valant *wert*
valeur *Wert*
  de peu de valeur
  gering
valise *Koffer*
vallée *Tal*
valoir *gelten*
vapeur *Dampf*
qui vaut *wert*
vécés pl *WC*
vedette *Stern*
veiller *sorgen*
vélo *Fahrrad, Rad*
vendeur *Verkäufer*
vendre *verkaufen*
venir *kommen*
vent *Wind*
vente *Verkauf*
ventre *Bauch, Leib*
véritable *echt, wahr*
vérité *Wahrheit*
verre *Glas*
verser *gießen*
vert *grün*
veste *Jacke, Rock*
veston *Jacke*
vêtements pl *Kleidung*
viande *Fleisch* [*sg*
victime *Opfer*

Nachwort

Das Wortmaterial dieses Grundwortschatzes ist die millionenfach gesprochene, geschriebene und gedruckte Sprache unserer Jahre. Das Werk hat alles in sich aufgenommen, was von den deutschen, angelsächsischen und französischen Frequenzforschern erarbeitet worden ist: für das Deutsche die Forschungsergebnisse von Kaeding, Bakonyi, Schultze, Michéa, Wängler und schließlich von Meier und Pfeffer, für das Englische die von Thorndike, Palmer, West, Ogden, Haase und Weis, für das Französische Auber Gougenheim, Fourré, Matoré und Nickolaus (siehe die Liste des Schrifttums).

Beim Vergleich deutscher Grundwortschatzlisten mit denen des Englischen und des Französischen zeigt sich eine erstaunliche Übereinstimmung; die weitaus größte Zahl der Grundwörter und Grundwendungen findet sich in allen drei Sprachen. Für den vorliegenden Grundwortschatz brauchten nur ganz wenige Wörter ausgeschieden zu werden, weil sie in den Vergleichssprachen keine Entsprechung hatten. Unberücksichtigt blieben Namen von Personen, Städten, Tieren, Pflanzen, Getränken, Krankheiten, für die sich weder im Grundwortschatz des Englischen noch in dem des Französischen Gegenbegriffe finden oder die auch von der deutschen Sprachwirklichkeit her nicht als zum Grundwortschatz gehörig anerkannt werden können, so etwa *doll*, *Sekt*, *Forelle*, *Veilchen*, *Knecht*, *Masern*.

Der Gebrauchswert eines Wortes hängt nicht nur von seiner Häufigkeit ab, sondern ebenso sehr von seinem Bedeutungsumfang und seinem Aussagewert. Die Häufigkeit konnte bei unserer Auswahl nicht einziges Kriterium sein. Neben dem Sprachstatistiker hat der Sprachpädagoge sein Wort gesprochen; aus seiner Lehrerfahrung konnte und mußte er ergänzen und auch berichtigen, was Kartei, Lochkarte und Tonband, neuerdings auch der Computer, an Sprachwirklichkeit erfaßt hatten.

Conclusion

The material for this basic vocabulary is the generally spoken, written and printed language of our day. The work contains the results of German, Anglo-Saxon and French research into word frequency: for German we have drawn on the conclusions of Kaeding, Bakonyi, Schultze, Michéa, Wängler and lastly on those of Meier and Pfeffer; for English on the conclusions of West, Thorndike, Palmer, Ogden, Haase and Weis; for French on the conclusions of Auber, Gougenheim, Fourré, Matoré and Nickolaus (see Bibliography).

A comparison of German basic vocabulary with that of English and French shows a surprising degree of conformity; most basic words and idioms are to be found in all three languages. In the present basic vocabulary only very few words had to be omitted, on the grounds that they had no equivalent in the other languages. Names of people, towns, animals, plants, drinks, illnesses were not included if there were no counterparts in the basic vocabulary of English and French or if they cannot be recognized as belonging to the basic vocabulary of German, for example the words *doll*, *Sekt*, *Forelle*, *Veilchen*, *Knecht*, *Masern*.

The practical value of a word depends not only on its frequency, but just as much on the extent of its meaning and its expressive value. Frequency of use could not, therefore, be the only criterion of choice. As well as the linguistic statistician the language teacher has also had his say; from his teaching experience he could and had to supplement and correct what catalogue, punched card, tape recorder and more recently the computer had recorded.

Postface

Cette œuvre est le reflet de la langue moderne parlée, écrite et imprimée ces dernières années. Elle contient les résultats des recherches opérées sur le plan de la fréquence des mots par des spécialistes allemands, anglo-saxons et français. Pour l'allemand, il faut citer: Kaeding, Bakonyi, Schultze, Michéa, Wängler et finalement Meier et Pfeffer; pour l'anglais Thorndike, West, Ogden, Palmer, Haase et Weis; pour le français Auber, Gougenheim, Fourré, Matoré et Nickolaus (voir Littérature).

La comparaison des listes du vocabulaire de base allemand avec celles de l'anglais et du français fait apparaître une étonnante concordance; la plupart des mots et expressions de base se retrouvent dans les trois langues. Toutefois, il a fallu laisser de côté les mots qui n'avaient pas de correspondants dans les deux autres langues, mais ceux-ci sont très peu nombreux. Ont été également laissés de côté les noms de personnes, villes, animaux, plantes, boissons, maladies pour lesquels il ne se trouve de concepts correspondants ni en anglais, ni en français, ou qui ne peuvent être reconnus comme appartenant véritablement au vocabulaire de base de la langue allemande, tels que *doll, Sekt, Forelle, Veilchen, Knecht, Masern*.

Plusieurs éléments forment la valeur d'un mot: non seulement sa fréquence, mais encore sa disponibilité et la richesse de sa signification. Il est donc évident que la fréquence ne pouvait constituer le seul critère de notre choix. Le statisticien n'a pas été seul juge; le pédagogue a eu aussi son mot à dire. Ses expériences d'enseignant lui ont permis de compléter — voire de corriger — la matière fournie par fichier, cartes perforées, magnétophone et dernièrement *computer*.

Prof. Dr. Heinz Oehler

Schrifttum
Literature / Littérature

F. Wilhelm Kaeding, Häufigkeitswörterbuch der deutschen Sprache. Steglitz. 1897; Berlin. 1898.

F. L. Thorndike, The Teacher's Word Book. New York. 1921.

A. C. Henmon, A French Word Book Based on a Count of 400000 Running Words. Madison, Wisconsin. 1924.

W. Horn, Basic Writing Vocabulary. Berlin. 1926.

B. Q. Morgan, German Frequency Word Book. New York. 1928. 1931.

Interim Report on Vocabulary Frequency. London. 1930/31.

Harald E. Palmer, Second Interim Report on Vocabulary Selection. Tokyo. 1931.

Hugo Bakonyi, Die gebräuchlichsten Wörter der deutschen Sprache. München. 1933, 1939.

Carnegie-Konferenz 1934/35. publ. 1936: Interim Report on Vocabulary Selection.

Michael Philip West, The New Method English Dictionary. London. 1935, 1961/4.

C. K. Ogden, The General Basic English Dictionary. 1940, 1957/13.

Bulletin officiel de l'Education Nationale, numéro 24 du 8 juin 1950.

Michael West, A General Service List of English Words. 1953.

M. Auber, Le Vocabulaire pour Baccalauréats. Guide de fréquence. Allemand. O. J.

G. Gougenheim, R. Michéa, P. Rivenc et A. Sauvageot, L'Elaboration du Français Elémentaire. Paris. 1956.

Walter Schultze, Der Wortschatz in der Grundschule. Stuttgart. 1956.

Pierre Fourré, Premier Dictionnaire en Images. Les 1300 mots fondamentaux du français. Paris. 1956.

Wortschatzminimum der deutschen Sprache für die Mittelschule. Moskau. 1957.

Georges Gougenheim, Dictionnaire Fondamental de la Langue Française. Paris. 1958.

Français Fondamental, Ier degré. ed. rev., Paris. 1959.

René Michéa, Vocabulaire Allemand Progressif. Paris. 1959.

Kinderduden. Mannheim. 1959.

Alfred Haase, Englisches Arbeitswörterbuch. Frankfurt (Main). 1959, 1961/2.

I. W. Rachmanow, Wörterbuch der meistgebrauchten Wörter der englischen, deutschen und französischen Sprache. Moskau. 1960.

R. Zellweger, Le vocabulaire du bachelier. 3000 mots allemands choisis et présentés. Lausanne. 1962.

P. Féraud, P. Fourré, R. Pratt, My First Dictionary in Pictures. Paris. 1963.

Hans-Heinrich Wängler, Rangwörterbuch hochdeutscher Umgangssprache. Marburg. 1963.

Georges Matoré, Dictionnaire du vocabulaire essentiel. Paris. 1963.

Eliane Kaufholz, Marc Zemb, H. Neuss, Vocabulaire de Base de l'Allemand. Paris. 1963.

Günter Nickolaus, Grund- und Aufbauwortschatz Französisch. Stuttgart. 1963.

Erich Weis, Grund- und Aufbauwortschatz Englisch. Stuttgart. 1964.

Helmut Meier, Deutsche Sprachstatistik. Hildesheim. 1964.

J. Allan Pfeffer, Grunddeutsch Basic (Spoken) German Word List, Grundstufe. New Jersey. 1964.

J. Allan Pfeffer, Grunddeutsch. Index of English Equivalents for the Basic (Spoken) German Word List. Grundstufe. New Jersey. 1965.

Německé Základní Lexikální Minimum. Praha. 1965.

Francouzské Základní Lexikální Minimum. Praha. 1965.

Anglické Základní Lexikální Minimum. Praha. 1965.

Michael West, An International Reader's Dictionary. London. 1966.

Notizen

Fehler gezielt bekämpfen:

Fehler ABC

Die Reihe Fehler ABC enthält eine Zusammenstellung von Wörtern, die den Deutschlernenden besonders häufig zu Fehlern verleiten.

Die Arbeit mit dem Fehler ABC ist einfach:

- 50 Kontrollaufgaben lassen die typischen Fehler erkennen, denen die eigentliche Arbeit gelten muß.
- Eine kurze Anleitung zu jedem Wort erklärt den richtigen Gebrauch.
- Übersetzungs- und Anwendungsbeispiele dienen Lernenden als Übungssätze.

Fehler ABC gibt es in folgenden Sprachen:

Fehler ABC
English - German

Von W. Barry und H. Zindler   Klettbuch **5511**

Fehler ABC
Français - Allemand

Von U. Mandt   Klettbuch **5512**

Fehler ABC
Italiano - Tedesco

Von E. Arnold   Klettbuch **5513**

Fehler ABC
Español - Alemán

Von E. Kunkel   Klettbuch **5514**

Grundwortschatz Deutsch Übungen und Tests

Von F. Eppert.   Klettbuch **51962**

Ein Wiederholungs- und Übungsbuch zum „Grundwortschatz Deutsch" von H. Oehler. Ein Teil der Übungen spricht das Erkenntnisvermögen an, bei den anderen soll der richtige Ausdruck im kontextuellen Zusammenhang gefunden werden. Wer die Tests dieses Buches besteht, kann sicher sein, daß er seinen Grundwortschatz Deutsch beherrscht.

Deutsche Grundsprache Wort- und Satzlexikon

Von H. Mattutat.   Klettbuch **51964**

Zum Verständnis dieses Buches ist nur die Kenntnis des „Grundwortschatz Deutsch" (Klettbuch 5196) notwendig. Anhand von charakteristischen Beispielen für sinnvolle und grammatisch mögliche Verbindungen wird die erstaunliche Anwendungsvielfalt des deutschen Grundwortschatzes gezeigt.

Die Fülle von gebräuchlichen Wendungen, Zusammensetzungen und Ableitungen aus der Wortfamilie des Grundwortes sowie Fügungen und Satzbeispiele machen den Lernenden mit dem Grundwortschatz vertraut, geben ihm Sicherheit in der Wahl stilistischer Mittel und erweitern seine Ausdrucksmöglichkeit.

Ernst Klett Verlag Postfach 809 7000 Stuttgart 1

Grund- und Aufbauwortschatz Deutsch

Der **Grund- und Aufbauwortschatz Deutsch** umfaßt insgesamt etwa 5000 Wörter, die nach ihrem wissenschaftlich ermittelten Häufigkeits- und Gebrauchswert und nach ihrer Fähigkeit, Ableitungen zu bilden, ausgewählt wurden.

Der **Grund- und Aufbauwortschatz Deutsch** gliedert sich in den 2000 Wörter umfassenden alphabetisierten Grundwortschatz und den ca. 3000 Wörter umfassenden Aufbauwortschatz, der nach Sachgruppen geordnet ist. Hinzu kommen Wortverbindungen, Wendungen und Sätze, die die mündliche und schriftliche Ausdrucksfähigkeit in hohem Maße fördern helfen.
Ein deutsches und ein fremdsprachliches Register am Ende jedes Bandes erleichtern das Auffinden der Wörter und Wendungen im Aufbauwortschatzteil.

**Grund- und Aufbauwortschatz
Deutsch-Englisch**
Von H. Oehler   51991

**Grund- und Aufbauwortschatz
Deutsch-Französisch**
Von H. Oehler   51992

Klett

Lesen leicht gemacht

Einfache oder vereinfachte Texte aus der deutschen Literatur, die Freude am Lesen wecken und die Kenntnisse der deutschen Sprache und Literatur erweitern.

Die Reihe wird fortgesetzt.

Klett